Uma jornada de descoberta do outro

Uma jornada de descoberta do outro

O que o Eneagrama revela sobre nossos relacionamentos

SUZANNE STABILE

Traduzido por Cecília Eller

Copyright © 2018 por Suzanne Stabile
Publicado originalmente por InterVarsity Press,
Downers Grove, Illinois, EUA.

Os textos bíblicos foram extraídos da *Nova Versão
Transformadora* (NVT), da Tyndale House Foundation,
salvo indicação específica.

Todos os direitos reservados e protegidos pela Lei
9.610, de 19/02/1998.

É expressamente proibida a reprodução total ou
parcial deste livro, por quaisquer meios (eletrônicos,
mecânicos, fotográficos, gravação e outros), sem prévia
autorização, por escrito, da editora.

Edição
Daniel Faria

Revisão
Natália Custódio

Produção
Felipe Marques

Diagramação
Marina Timm

Colaboração
Ana Luiza Ferreira

Capa
Rafael Brum

CIP-Brasil. Catalogação na publicação
Sindicato Nacional dos Editores de Livros, RJ

S769j

   Stabile, Suzanne
     Uma jornada de descoberta do outro : o que o eneagrama
revela sobre nossos relacionamentos / Suzanne Stabile ;
tradução Cecília Eller. - 1. ed. - São Paulo : Mundo Cristão,
2022.
     192 p.

     Tradução de: The path between us
     ISBN 978-65-5988-075-1

     1. Eneagrama. 2. Personalidade. 3. Relações interpessoais.
I. Eller, Cecília. II. Título.

22-75979

                 CDD: 155.26
                 CDU: 159.923

Gabriela Faray Ferreira Lopes - Bibliotecária - CRB-7/6643

Publicado no Brasil com todos
os direitos reservados por:

Editora Mundo Cristão
Rua Antônio Carlos Tacconi, 69
São Paulo, SP, Brasil
CEP 04810-020
Telefone: (11) 2127-4147
www.mundocristao.com.br

Categoria: Relacionamentos
1ª edição: abril de 2022

Para Giuseppe
*O caminho entre nós define a excelência da vida que
compartilhamos.
Amo você de todo o coração.*

Para nossos filhos e seus amados
Joey e Billy, Jenny e Cory, Joel e Whitney, B. J. e Devon

Para nossos netos
Will, Noah, Sam, Elle, Joley, Piper, Jase

Para o frade Richard Rohr
Que me ensinou o Eneagrama

Para Sheryl Fullerton
Que me ensinou a escrever sobre o assunto

Sumário

Introdução
9

Tipo 9

Arriscar o conflito
em busca de conexão
45

Tipo 8

Vulnerabilidade
não é fraqueza
23

Tipo 1

As coisas sempre
podem melhorar
63

Tipo 7

Está tudo bem
165

Tipo 2

Seus sentimentos
ou os meus?
81

Tipo 6

Questionar tudo
147

Tipo 3

Ser todo mundo,
menos eu mesmo
97

Tipo 5

Minhas cercas
têm porta
131

Tipo 4

Vá embora, mas
não me deixe
113

Conclusão
183

Agradecimentos
185

Notas
189

— Introdução —

O Eneagrama é uma jornada

Joseph Stabile é a melhor pessoa que eu conheço — ele é bom o tempo inteiro! Compartilhamos a vida há mais de trinta anos. Ainda assim, há momentos em que seus atos me fazem pensar se algum dia eu entenderei plenamente o jeito dele de estar no mundo.

Há alguns anos, em um voo de Nova York para Dallas, estávamos sentados no meio da classe econômica, observando os desconhecidos procurarem um lugar para colocar a bagagem nos compartimentos superiores já cheios. O último casal a embarcar era formado por um senhor idoso com aspecto gentil, que carregava a mala à frente do corpo e olhava em volta com frequência em busca de assentos vazios. A esposa vinha logo atrás, com ar um pouco assustado por tudo que estava acontecendo: não havia dois assentos juntos, a mala não cabia debaixo da poltrona e não havia nenhum outro espaço para guardá-la. A comissária de bordo tentou chamar a atenção dos dois, mas nenhum respondeu. Ficou claro que eles não falavam inglês, então a comissária administrou a situação da mesma forma que muitos de nós faríamos: falando mais alto.

Como Joe é bilíngue, pensei que ele poderia ajudar, por isso o cutuquei e lhe mostrei o problema óbvio de comunicação. Na verdade, eu estava extremamente interessada em vê-lo se engajar para resolver a situação — mas de nada adiantou. Joe insistiu que a comissária de bordo saberia o que fazer. E ele estava certo. Ela levou a mala do senhor para a frente da aeronave, e alguém gentilmente se levantou e cedeu o lugar para que o casal se sentasse lado a lado. Meu marido estava satisfeito enquanto nos preparávamos para decolar.

Todos estavam bem... todos, menos *eu*.

Eu me comunico bem, tanto de maneira verbal quanto não verbal. Então, muito embora não tenhamos dito mais nada naquele momento, Joe sabia que não estava tudo bem no mundo dele, porque não estava tudo bem no meu. E como ele não tem o hábito de resolver as coisas em público — e eu não sou de deixar nada pra lá —, nós dois sabíamos que era só uma questão de tempo.

Chegamos em casa, nos organizamos, fomos dormir e começamos o dia seguinte com a agenda cheia. Mas durante o jantar, naquela noite, eu disse:

— Você sabe que eu o acho a melhor pessoa do planeta, e isso continua a ser verdade. Mas quero que me explique por que não quis ajudar o casal do avião, se estava tão claro que eles precisavam de um tradutor.

Então meu marido, um Nove de mão cheia, respondeu:

— Para ser sincero, nunca me vem à mente que eu devo ajudar. Vi que eles estavam com dificuldades, mas simplesmente não pensei em me envolver.

Mais uma vez, veio à tona a diferença significativa na forma pela qual Joe e eu enxergamos o mundo. Eu, uma pessoa tipo Dois, respondi:

— Eu *sempre* sei quem precisa de ajuda e, em geral, consigo perceber do que a pessoa necessita. Só que nem sempre tenho a capacidade necessária para ajudar.

Essa história (e milhares como ela) é a razão para eu ter escrito este livro. Todos os relacionamentos — os que importam de verdade e até os menos relevantes — precisam de tradução.

E, se nosso interesse em crescimento relacional e transformação é sincero, então o Eneagrama é uma das ferramentas de tradução mais úteis que se encontra disponível.

A beleza do Eneagrama

Sou do tipo de pessoa que gosta de gente. Para ser franca, acho as outras pessoas fascinantes e gosto de estar com elas. Bem, com quase todas. Gosto de conversar, cumprimentar, abraçar ou dar um tapinha nas costas. Ao mesmo tempo, cada pessoa que conheço é um mistério para mim — não tanto pela aparência, muito embora isso em si já seja um milagre. O que me cativa tanto é o fato de nos *comportarmos* de maneira tão diferente.

Em minha experiência, porém, há duas coisas que temos em comum: todos sentimos o desejo de pertencer a algum lugar e todos queremos uma vida com significado. No entanto, encontrar pertencimento e significado depende de nossa habilidade de construir e manter relacionamentos — com pessoas parecidas conosco e, não raro, com pessoas bem diferentes.

Algumas coisas em nossa maneira de viver mudam ao longo do tempo, ao passo que outras permanecem iguais. E parece que não há muito que podemos fazer a esse respeito. Em geral, somos confrontados com a realidade de que, às vezes, outras pessoas e sua forma de enxergar o mundo jamais farão sentido para nós. Mantendo em mente que nenhum de nós é capaz de mudar nosso jeito de enxergar o mundo, resta-nos a opção de tentar ajustar *o que fazer* com aquilo que enxergamos.

O Eneagrama ensina que há nove maneiras diferentes de vivenciar o mundo e nove modos diferentes de responder às seguintes perguntas básicas sobre a vida: "Quem sou eu?", "Por que estou aqui?" e "Por que faço as coisas que faço?".

Nossa forma de cultivar e preservar relacionamentos varia de forma significativa de um número para o outro. Ao enxergar pela lente do Eneagrama, é possível entender melhor tanto nós mesmos quanto os outros, aumentar a aceitação e compaixão, e trilhar os caminhos que existem entre nós.

Este livro ajudará na compreensão de como cada um dos nove números do Eneagrama enxerga o mundo, como interpreta aquilo que vê, como decide o que fazer e como tudo isso afeta seu jeito de se relacionar com os outros. É claro que, por ser um livro sobre relacionamentos, não há uma ordem meticulosa — as interações humanas podem ser imprevisíveis e complicadas. Às vezes, acertamos e, em outras ocasiões, erramos feio. A boa notícia é que, com a ajuda do Eneagrama, todos podemos melhorar.

Os números

Os capítulos que se seguem foram escritos *sobre* cada número e incluem dicas úteis *para* aquele número enquanto avalia os próprios relacionamentos. Uma vez que os capítulos detalham a forma com que cada número específico interage com os outros, é útil ter um conhecimento geral sobre o Eneagrama. Esta seção apresenta uma breve recapitulação do básico. Se você ainda não leu *Uma jornada de autodescoberta*, por favor, leia! É uma ótima introdução ao Eneagrama e a combinação perfeita com este livro.

As pessoas tipo **Um** são chamadas de *Perfeccionistas*, mas não gostam desse título. Lutam contra a raiva, mas acabam internalizando-a e ela se transforma em ressentimento. Quem é Um tem dificuldade de achar que é bom ou digno o suficiente, por causa de uma voz interior constante que acha defeito em tudo aquilo que a pessoa faz; assim, contenta-se em estar certo ou em ser correto. O tipo Um tem uma mente que tende a julgar/comparar. Observa erros que passam despercebidos pelos outros e, com frequência, sente a necessidade pessoal de corrigi-los. Acredita que cada passo da tarefa deve ser feito de maneira correta, de modo que dá seu melhor, faz o melhor e espera o mesmo dos outros.

As pessoas tipo **Dois** são chamadas de *Auxiliadoras* ou *Doadoras*. Têm a necessidade de ser necessárias. Quem é Dois doa muito, às vezes por razões altruístas e às vezes para receber algo em troca, mesmo que, em geral, tal motivação seja subconsciente. Quando alguém tipo Dois entra no ambiente, sua atenção se volta automaticamente para os outros e pergunta: "Como você está?", "Do que está precisando?", "Como posso ser útil?". Sua motivação é construir relacionamentos enquanto identifica e satisfaz as necessidades dos outros.

As pessoas tipo **Três** são chamadas de *Realizadoras*. Têm necessidade de ser bem-sucedidas, eficientes e eficazes, e também de ser vistas assim pelos outros. Quem é Três tem dificuldade de interpretar sentimentos — tanto os próprios quanto os dos outros. Com frequência, esconde a raiva, o medo, a tristeza, a decepção e a vergonha até estar a sós para lidar com as emoções. Gosta de estipular objetivos de curto e longo prazo e, em geral, os cumpre. Motiva o restante de nós a fazer coisas que talvez jamais imaginaríamos. E quando nós ganhamos, ele ganha também.

As pessoas tipo **Quatro** têm o número mais complexo do Eneagrama. São chamadas de *Românticas* e têm a necessidade de ser, ao mesmo tempo, singulares e autênticas. Quem é Quatro acha que falta algo em sua vida e que só ficará bem quando conseguir encontrá-lo. Sente-se confortável com a melancolia e, muitas vezes, extrai energia das tragédias. É o único número no Eneagrama capaz de testemunhar a dor sem precisar consertá-la. Por valorizarem a autenticidade e abominarem a falsidade, as pessoas tipo Quatro extraem mais profundidade em suas interações com os outros.

As pessoas tipo **Cinco** são chamadas de *Investigadoras* ou *Observadoras*. Quem é Cinco deseja ter recursos adequados para jamais precisar depender de ninguém. É o número mais emocionalmente desligado de todos. Esse afastamento significa que consegue ter um sentimento e abrir mão dele. Administra o medo por meio da obtenção de informações e conhecimento. As pessoas tipo Cinco têm uma quantidade limitada e comedida de energia para cada dia. Por isso, tomam cuidado acerca do que oferecem para os outros e quando o fazem. É extremamente corajoso para elas se abrir aos relacionamentos, pois estes lhes custam mais que a qualquer outro número.

As pessoas tipo **Seis** são chamadas de *Leais*. Têm a necessidade de sentir segurança e garantia, porém lidam com muita ansiedade em relação a possíveis acontecimentos futuros, um mundo cheio de ameaças e a agenda oculta dos outros. Quem é Seis administra tal ansiedade ao se planejar para o pior cenário possível e se apegar a regras, planos e à lei. Não quer, nem precisa ser a estrela. Deseja apenas fazer a própria parte e espera que todos os outros o façam também. Com sua lealdade e constância, as pessoas tipo 6 são a cola que mantém unidas todas as organizações que apreciamos e às quais pertencemos. De todos os números do Eneagrama, são os mais preocupados com o bem comum.

As pessoas tipo **Sete** são chamadas de *Entusiastas* ou *Epicuristas*. Elas se deleitam com as melhores possibilidades. Têm a necessidade de evitar a dor e rapidamente reformulam qualquer coisa negativa em positiva. Quem é Sete se engana ao acreditar que vivencia a gama total das emoções, quando, na verdade, passa a maior parte da vida no lado feliz — a vida existe para ser experimentada e desfrutada. Isso significa que a repetição não é desejável e a rotina é vista como um incômodo. As pessoas tipo 7 também são mestres da negação e administram o medo dispersando-o. No entanto, têm a qualidade especial de animar aqueles a sua volta. Para falar a verdade, nossa vida seria bem menos divertida sem elas.

As pessoas tipo **Oito** são chamadas de *Contestadoras* ou *Mandonas*. São pensadores independentes que tendem a ver tudo em extremos: bom ou ruim, certo ou errado, amigo ou inimigo. A raiva é sua emoção principal, mas não dura muito. Embora quem é Oito não convide a franqueza, ele a deseja e respeita. Seu foco se encontra fora de si e sempre defende os mais frágeis. O Oito é impetuoso! Tem mais energia que qualquer outro número, dá tudo que tem naquilo que faz ou em que acredita e se envolve mais com pessoas dispostas a se mostrar por completo.

> O Eneagrama oferece uma perspectiva única de aceitação da realidade.

As pessoas tipo **Nove** são chamadas de *Pacificadoras* ou *Mediadoras*. São o número menos complexo do Eneagrama. Têm menos energia que todos os outros tipos, pois tentam manter dentro de si qualquer coisa que possa provocar conflitos e manter do lado de fora qualquer coisa que lhes possa roubar a paz. O Nove é o número mais teimoso. Administra a raiva com uma atitude passivo-agressiva. Tem o dom e o problema de ver os dois lados de tudo, por isso é propenso à procrastinação e à indecisão. Nos relacionamentos, o Nove é leal e gosta de estar por perto. Esquece-se de si mesmo, deixando de lado as próprias necessidades para se misturar aos outros.

O sistema do Eneagrama

O Eneagrama é singular naquilo que oferece em nossa jornada de quem somos para o que esperamos ser. Enquanto você começa a trilhar esse caminho, apresento uma revisão da dinâmica do Eneagrama.

Tríades. Dentro do sistema do Eneagrama, existem três maneiras de encarar o mundo: sentir, pensar ou fazer. Os nove números são divididos entre essas três maneiras e são conhecidos como tríades. Sua tríade é determinada por sua forma de processar informações ou situações. As pessoas de tipo Dois, Três e Quatro fazem parte da Tríade do Coração, na qual os sentimentos dominam. A Tríade da Cabeça inclui os números Cinco, Seis e Sete e é dominada pelo pensar. Fazer é dominante para a Tríade Visceral, que inclui os números Oito, Nove e Um.

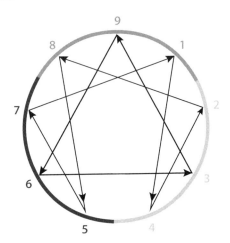

Asas, estresse e segurança. Cada número no Eneagrama tem uma relação dinâmica com outros quatro números: os dois de cada lado, bem como os dois em cada extremidade das setas no diagrama acima. Esses quatro outros números podem ser vistos como recursos que lhe dão acesso a diferentes padrões comportamentais. Embora sua motivação central e seu número nunca mudem, seu comportamento pode ser influenciado por esses outros números e até levar a pessoa a se parecer com algum deles. Estudiosos maduros do Eneagrama podem aprender a se mover pelo círculo, lançando mão dessas quatro formas auxiliares de comportamento quando necessário.

Os quatro números dinâmicos são os seguintes:

Número de asa. São os números à esquerda ou à direita do seu e têm a capacidade de impactar o comportamento de maneira significativa. Por exemplo, uma pessoa Quatro com asa Três é mais extrovertida que outra Quatro com asa Cinco, mais introspectiva e retraída. As asas, de modo geral, afetam o comportamento quando dominantes, mas não exercem efeito algum sobre a motivação principal. Entender até que ponto você se vale de uma asa ou de outra é importante para a compreensão de sua personalidade.

Número de estresse. Esse é o número para o qual sua personalidade é atraída quando você está estressado. É identificado pela seta que aponta para longe de seu número no diagrama acima. Por exemplo, em situações de estresse, quem é Sete assume comportamentos de tipo Um. Torna-se menos sociável e adere a um pensamento mais dicotômico. Seu número de estresse não é necessariamente um movimento negativo, uma vez que você precisa do comportamento do número ao qual recorre em condições estressantes a fim de cuidar de si.

Número de segurança. Assim como você se aproxima de um número em situações de estresse, também assume comportamentos de outro número quando se sente seguro. Ele é indicado pela seta que aponta para o seu número no diagrama acima. Por exemplo, as pessoas de tipo Sete aderem ao comportamento do número Cinco quando se sentem seguras, abrindo mão da necessidade de excessos e adotando uma mentalidade do tipo menos é mais. Todos os números necessitam do comportamento disponível em segurança a fim de experimentar cura holística.

Posturas. Na linguagem cotidiana, *postura* descreve como nos portamos ou conduzimos. É a mesma coisa no Eneagrama: a postura indica o posicionamento ou a atitude habitual, uma forma padronizada de reagir às experiências. É o modo padrão de comportamento de um número. Em cada capítulo, oferecerei alguns esclarecimentos de como a postura do número está ligada a sua forma de transitar nos relacionamentos.

Postura assertiva (Três, Sete, Oito). Essas pessoas ficam felizes em estar no comando de outras e colocam em primeiro lugar os próprios objetivos. São vistas se posicionando de maneira independente e, às vezes, contra os outros. Sua orientação temporal é o futuro.

Postura dependente (Um, Dois, Seis). Tais pessoas se preocupam muito com as expectativas alheias e, por isso, são leais e confiáveis. São vistas gravitando em direção aos outros e sua orientação temporal é o presente.

Postura retraída (Quatro, Cinco, Nove). Tais pessoas demoram a agir porque costumam ser tímidas ou introvertidas. São vistas se distanciando dos outros e sua orientação temporal é o passado.

Um conselho

Sei que você sentirá a tentação de ir direto para o capítulo sobre seu número e lê-lo primeiro, para depois ler os números das pessoas mais próximas a você. Eu possivelmente faria o mesmo. Mas preciso incentivá-lo a ler o livro *inteiro*. Você encontrará informações sobre seu número em seu relacionamento com os outros em todos os capítulos. Minha esperança é que este livro ajude a melhorar todos seus relacionamentos, não só alguns seletos. Mas eu seria omissa se não mencionasse alguns cuidados que todos devemos tomar ao aplicar a sabedoria do Eneagrama a nossos relacionamentos.

É importante lembrar que o Eneagrama não é um sistema estático. Todos nos movemos de padrão sadios para medianos e até prejudiciais, e o inverso também é verdadeiro. Em minha experiência, observo que a maioria de nós passa a maior parte do tempo em algum ponto da média alta. De modo geral, enfrentamos a vida com uma perspectiva saudável e, em momentos desafiadores, é provável que reagiremos de maneiras prejudiciais. Por isso, este livro retrata principalmente como respondemos aos outros quando estamos no espectro mediano a saudável.

Também é fundamental manter em mente que há diversas variações dentro de cada número. Tais variações resultam de ser introvertido ou extrovertido; de estar, naquele momento, em um espaço saudável, mediano ou prejudicial; de ser sociável, de preferir relacionamentos individuais ou de tender a se preservar; de uma orientação temporal mais voltada para o presente, o passado ou o futuro; bem como de seu nível de familiaridade com o Eneagrama e outras ferramentas para o crescimento pessoal e espiritual.

Por fim, uma vez que estamos falando sobre relacionamentos, existem alguns princípios centrais de interpretação dos quais não se deve esquecer durante a leitura. Antes de mais nada, não use seu número no Eneagrama como desculpa para seu comportamento. Em segundo lugar, não use o que aprendeu sobre os outros números para zombar, criticar, estereotipar ou desrespeitar pessoas de qualquer maneira que seja. Jamais! Terceiro, o melhor é dedicar energia em observar e trabalhar a si mesmo, em lugar de observar e trabalhar os outros. E, ao avançar, espero que você compartilhe de meu desejo de que todos cresçamos em nossa capacidade de aceitar, amar e caminhar ao lado uns dos outros nessa jornada com muita compaixão e respeito.

> A compreensão de *quem você é* afeta todos os relacionamentos que você inicia e busca cultivar.

O esforço vale a pena

Há pouco tempo, Joe e eu estávamos em outro voo, sentados na fileira atrás da saída de emergência. Na fila da frente, do outro lado, a comissária de bordo perguntava a um passageiro se ele falava inglês. Ele respondeu que não, então ela perguntou de novo. Vez após vez, ele balançava a cabeça e dizia "Não!". Visto que ela continuou, em inglês, a explicar que ele só poderia se sentar na saída de emergência caso falasse em inglês, ele continuou a interagir com ela, na tentativa de entender o que a comissária estava dizendo.

Fazendo o esforço de respeitar aquilo que Joe havia me ensinado sobre as pessoas tipo Nove da última vez que viajamos juntos, fiquei quieta.

Então, assim que apertei meu cinto de segurança, Joe soltou o dele. Ao notar a dificuldade, ele passou por mim, foi até o corredor e, em espanhol, explicou ao homem que ele precisaria trocar de lugar com a mulher à frente dele por causa de uma regra da companhia aérea de que todos na saída de emergência deviam saber falar inglês.

O homem se levantou e mudou de assento. Sorridente, agradeceu a Joe a ajuda. Quando meu esposo bilíngue e prestativo voltou para sua poltrona, a mulher atrás de nós estendeu o braço, deu-lhe um tapinha no ombro e o agradeceu por ter sido tão gentil e ajudado a resolver o problema.

Que lindo quando conseguimos nos enxergar como somos e também como podemos ser!

— Tipo 8 —

Vulnerabilidade não é fraqueza

Melissa telefonou e perguntou se podíamos conversar sobre um problema no trabalho, então suspeitei que fosse a respeito de seu relacionamento com uma colega no novo emprego. Diretora de contratação em uma *startup* de tecnologia de ponta, Melissa é inteligente, criativa e muito bem-sucedida. É uma boa líder, mas, assim como as outras pessoas tipo Oito, muitas vezes tem dificuldades de relacionamento com os colegas de trabalho. Quem é Oito se dá melhor quando pode escolher com quem irá trabalhar, mas Melissa herdou uma equipe pronta ao entrar para a empresa. Com base em conversas anteriores, eu sabia que ela não teria escolhido Emily.

Melissa me contara antes que estava cansada de ouvir Emily reclamar sobre o sistema de dados. "Em vez de resmungar, por que ela simplesmente não aprende a usá-lo?" Melissa costumava trabalhar 55 horas por semana e ficava irritada porque Emily tinha dificuldade de cumprir suas quarenta horas; muitas vezes, perdia compromissos do trabalho por causa de consultas médicas da mãe idosa, apresentações de balé da neta e outros compromissos pessoais conflitantes.

Quando atendi a ligação de Melissa, ela já estava falando alto, algo característico de um tipo Oito. Assim como outros Oitos, que não costumam ter tempo, nem interesse em fazer rodeios, ela foi direto ao ponto.

— É a Emily. Acabamos de terminar a avaliação semestral de desempenho. Comecei perguntando se havia algo sobre o qual ela queria conversar antes de discutirmos sua avaliação. Imaginei que era uma ótima maneira de começar, sabe, meio pessoal.

Mas Melissa não estava preparada para o que ouviu em seguida. Com voz trêmula, Emily disse: "Não acho que você me respeita. Está sempre tão sem paciência e exigente! Às vezes, sinto até uma atitude de *bullying* da sua parte. Conversei com outras pessoas que afirmaram já ter sentido a mesma coisa".

Percebi pelo tom de voz que Melissa ainda estava brava, mas eu sabia que ela também estava magoada. Perguntei como ela reagiu a Emily.

— Bem, parei e fiz algumas perguntas.

— Que tipo de perguntas?

— Queria que ela me apresentasse provas objetivas para seus sentimentos, então perguntei o que aconteceu para levá-la a se sentir assim. Disse que eu havia sido muito honesta com ela em relação a minhas expectativas e a suas responsabilidades. Tentei explicar que nosso departamento é muito importante nesta fase de crescimento da empresa e que temos o papel de recrutar as pessoas certas para funções cruciais, caso contrário a firma fracassará.

Seguiu-se uma longa pausa e então Melissa me perguntou com muita sinceridade:

— Suzanne, por que as pessoas *simplesmente não fazem o que têm de fazer*?

O que está acontecendo?

Com qual pessoa da história você mais se identifica? Por quê?

Melissa pratica *bullying*? Por que sim ou por que não?

O que Emily realmente quer de Melissa?

Como o Eneagrama explica o que está acontecendo nessa situação?

Por meio das lentes do Eneagrama, essa história está ligada a muito mais que uma chefe agressiva e uma funcionária intimidada ou ineficaz. Trata-se de duas pessoas que enxergam o emprego e a relação de trabalho — bem como o mundo — com base em perspectivas completamente diferentes. Melissa é tipo Oito. Emily não. Melissa achava que estava incentivando Emily a desempenhar suas responsabilidades profissionais e isso a cegou para a crise emocional da funcionária. Embora tenham conseguido terminar a avaliação de desempenho, Melissa confidenciou que não tinha nenhuma expectativa de que as coisas mudariam. Depois de um tempo, Emily pediu para ser transferida.

A maioria dos números do Eneagrama faz as pazes com os outros ao longo do dia — criando uma ponte sobre o abismo emocional por meio de um comentário rápido, uma observação ou um elogio antes de cada um seguir seu caminho. Infelizmente, a pessoa tipo Oito não sente a obrigação que serve de ponto de partida para essa reconciliação relacional, então acaba partindo para a próxima atividade. Pode parecer que o Oito não se importa conosco, mas a verdade é que ele nem está se lembrando de nossa existência — está apenas pensando no que precisa ser feito em seguida.

Nesse episódio entre Melissa e Emily, assim como em muitas histórias que formam nosso dia a dia, sabemos o que aconteceu, mas não entendemos por quê. O Eneagrama nos ajuda a compreender a dinâmica, as motivações e as experiências de todos os nove números, suas interações e seu relacionamento uns com os outros.

O mundo do Oito

A primeira reação do Oito a qualquer coisa é: "O que eu vou *fazer*?". Isso pode ser complicado nos relacionamentos, porque muitas outras pessoas se perguntam inicialmente: "O que eu *penso*?" ou "Como me *sinto*?". O tipo Oito tende a se relacionar muito bem com pessoas dos tipos Três e Sete, que também são de fazer as coisas. Esses três números têm dificuldade com quem parece sobrecarregado pelos sentimentos ou demora a reagir porque pensa demais antes de agir.

No contexto dos relacionamentos, fazer como primeira reação muitas vezes parece agressivo para outros números do Eneagrama mais voltados para pensar ou sentir. Por isso, o Oito precisa dar uma pausa maior a fim de levar em conta que, para algumas pessoas, pensar precisa vir antes de agir e, para outras, os sentimentos determinam qual ação será escolhida e quando. Não é uma questão de preferência — está ligado a como enxergamos as coisas. Por exemplo, as pessoas dos tipos Cinco e Seis acham absurdo e irresponsável agir tão rapidamente, pois têm total certeza de que é necessário avaliar primeiro as várias opções e suas consequências.

> Todo número evita alguma coisa.

No entanto, qualquer tipo de pausa é difícil para o Oito, já que ele deseja ter controle sobre o que está acontecendo dentro dele e no mundo. Às vezes, o Oito age depressa demais, sem deixar espaço para outras perspectivas, nem permitir que os outros ofereçam o que têm para dar. Ainda assim, as pessoas esperam que o Oito tome decisões e lidere, na expectativa de que ele diminua o ritmo, explique o plano e peça sugestões. Porém, como o foco do Oito está no fazer, nada disso lhe passa pela cabeça. Todd Dugas, um Oito que atua como diretor executivo de um centro de reabilitação, explica da seguinte forma:

> Eu ficava ressentido com minha equipe porque ninguém fazia a própria parte. Contudo, quando parei para pensar, me dei conta de que jamais havia treinado meus funcionários, nem explicado o que eu realmente queria. Apenas lhes dissera o básico e esperava que soubessem expandir a partir daí. Talvez isso tenha acontecido porque sentar para interagir com eles e ter uma conversa de fato era difícil para mim. Eu também tinha dificuldade com outros funcionários que faziam *só* o mínimo necessário. Eu me livrava desse tipo de gente o tempo inteiro.

Quem é Oito precisa prestar atenção quando age tão rápido em um relacionamento que a outra parte não consegue acompanhar. Com frequência, os outros o seguem, mas provavelmente por pensarem que não têm escolha. E isso muitas vezes resulta em ressentimento.

Certo Oito disse: "Os maiores desentendimentos que tenho em casa giram em torno de momentos em que tive expectativas em relação aos outros que não articulei com clareza. Quando as pessoas não agem com a mesma velocidade ou intensidade que eu, fico extremamente frustrado, e bem rápido. Explicar o que estamos fazendo e por que é um fardo. Às vezes, porém, eu preciso incluir os outros em meu plano familiar". A verdade é que, quando o Oito opta pela inclusão, muito pouco tempo é necessário e a recompensa é significativa: a atitude alivia incompreensões e forma conexões significativas.

8

O Oito na média ou abaixo dela pode se sentir tentado a dar o troco em pessoas que o trataram de maneira injusta ou fizeram isso com outros.

Vulnerabilidade e autoproteção. As pessoas tipo Oito evitam a vulnerabilidade a fim de se proteger emocionalmente. Quando crianças, outros faziam comentários do tipo: "Ela é tão mandona" ou "Ele não ouve ninguém". Na vida adulta, o Oito com frequência é rotulado de agressivo e, por isso, os outros costumam assumir uma postura defensiva no relacionamento com ele, sentindo necessidade de se proteger de alguma forma. A ironia é que o Oito também sente a necessidade de se proteger, mas faz isso evitando o desamparo, a fraqueza e a subordinação.

Em um TED Talk hoje célebre sobre o tema da vulnerabilidade, a importante pesquisadora e escritora Brené Brown disse: "Vulnerabilidade é a ideia de que, para haver conexão real, precisamos nos permitir ser vistos — vistos de verdade".[1] O Oito quer sentir conexão com as pessoas próximas assim como qualquer outro número. Mas depara com um grande problema: uma das poucas coisas que ele teme é ser exposto em momentos de fragilidade, limitação ou indecisão. Se Brown está certa e a conexão depende de nossa habilidade de ser vulneráveis e a vulnerabilidade sugere a disposição de ser vistos, então essa motivação relacional é a chave. Creio que o Oito se sente tão exposto quanto o restante de nós às vezes, apenas exprime isso de maneira diferente.

Uma mulher tipo Oito casada e mãe de quatro filhos explicou sua vulnerabilidade nos relacionamentos familiares:

> Desejarei confiar tudo a vocês, mesmo que isso me seja tão difícil. Estarei na cola de vocês o tempo inteiro. Brigarei *por* vocês mais do que brigarei *com* vocês. Eu os surpreenderei com lágrimas sentimentais e, quem sabe, às vezes nem tentarei escondê-las. Ficarei brava com vocês quando ficarem bravos comigo e precisarei

envidar grandes esforços para encontrar os sentimentos por baixo dessa superfície. Eu os amarei além da razão, e é possível que isso me assuste a princípio.

Embora o Oito possa ser vulnerável nos relacionamentos próximos, sempre luta contra o desconforto ao expressar sentimentos ternos.

A despeito dos melhores esforços para se proteger, o Oito, assim como todos nós, enfrenta experiências na vida para as quais não estava preparado. Nessas ocasiões, quando se sente emocionalmente exposto, o Oito permite que o enxerguemos. Ainda que brevemente, temos a oportunidade de conhecê-lo de modo inédito. Em tais momentos, as pessoas tipo Oito em minha vida me ensinaram que não tinham intenção de ser agressivas — estavam apenas tentando se proteger.

Quando minha filha Joey era criança, com seis ou sete anos de idade, ela acordava no meio da noite para abrir e reembalar os presentes de Natal debaixo da árvore com seu nome escrito. Fazia um trabalho tão bom que demoramos anos para perceber. Ao conversar sobre isso com ela, Joey nos explicou que não gostava de surpresas. "Quando for abrir os presentes, pode ser que eu ria, chore ou diga algo errado. Não gosto disso. Prefiro saber de tudo antes que aconteça." Não saber a tornava vulnerável. Hoje ela tem quase quarenta anos e já é mãe, mas continua a querer saber de tudo antes que aconteça.

O Oito abomina fraqueza em si mesmo e nas pessoas íntimas. Assim, se não sabe distinguir entre ser vulnerável e ser fraco, evita ambos. Contudo, é muito difícil cultivar um relacionamento com alguém que não consegue ou não quer ser vulnerável. Faz os outros sentirem que sua presença não é importante, que não têm nada a oferecer e que jamais serão considerados dignos o bastante de confiança. Relacionamentos positivos e sólidos são construídos em meio a períodos de vulnerabilidade, por isso o Oito precisa trabalhar nessa confusão entre vulnerabilidade e fraqueza, permanecendo conectado com os outros quando está abatido ou quando as coisas não dão certo. É importante que o Oito partilhe com as pessoas aquilo que tem mais significado para ele, o que mais o assusta e o que considera mais importante.

Em minha experiência, a maioria das pessoas tipo Oito é bem madura. Elas já chegam a este mundo com uma sabedoria inesperada que se revela de forma tão graciosa que quase passa despercebida. Contam-me que, quando pequenas, sentiam forte desconforto na presença de gente que parecia fraca e desanimada, então tomaram a decisão de ser fortes. Muitos assumiram a responsabilidade por si mesmos e por outros bem cedo na vida, pois já nasceram líderes. Mas essa escolha de ser fortes lhes custa a inocência. Se você é Oito, passará parte da vida adulta tentando retomar a capacidade de interagir com o mundo sem sentir a necessidade de se proteger dele. Tal habilidade só se desenvolverá no contexto de relacionamentos seguros.

Em defesa dos injustiçados. A preocupação das pessoas tipo Oito com autoproteção significa que são as mais capacitadas para desafiar os opressores e se levantar em defesa daqueles que não são tão fortes quanto elas. Amo isso nos Oitos que conheço! Sua preocupação com a injustiça e sua crença de que são responsáveis por proteger os inocentes são, ao mesmo tempo, poderosas e gentis. Com frequência, porém, o Oito perde de vista o que isso significa. Quando o Oito se relaciona com os marginalizados, precisa saber que dar pode ser um ato mútuo e relacional.

Percepção social é a capacidade de decodificar os sentimentos dos outros e entender como é a vida do ponto de vista deles. Esse tipo de consciência requer ouvir e observar. É fundamental para haver uma troca respeitosa e significativa entre duas pessoas, mesmo que não se trate de um relacionamento recorrente. Quando o Oito está ocupado fazendo as coisas por alguém, é grande a chance de que ele resolva o problema sem muita percepção social. Há, nesse ponto, um equilíbrio delicado no qual todos os números precisam trabalhar. As pessoas tipo Dois, por exemplo, prestam atenção demais à percepção social. Mas os relacionamentos são definidos pela forma como duas ou mais pessoas se conectam. Por isso, precisamos nos lembrar de que todos os relacionamentos requerem um equilíbrio, de ambas as partes, entre dar e receber.

Intensidade e raiva. De acordo com a sabedoria do Eneagrama, a paixão do Oito é a luxúria, que pode ser mais bem definida como intensidade. É uma pessoa do tipo tudo ou nada, cheia de energia veemente e um ímpeto impaciente para agir. Quando as coisas não se alinham ou surgem obstáculos, o Oito costuma reagir com raiva. O mais paradoxal é que ele acredita que a ira o ajuda a abrir caminho no mundo, mas eu suspeito que as pessoas tipo Oito usem a raiva para acobertar sentimentos mais brandos e ternos. O problema em parte parece ser que, após um tempo, passam a ter dificuldade

8

O Oito tem limites bem definidos para proteger o próprio espaço, mas talvez não se dê conta de quando se intromete na vida alheia.

de acessar qualquer outro sentimento *além da* raiva, e isso muitas vezes prejudica seus relacionamentos.

Quando nos lembramos da preocupação do Oito quanto a parecer fraco, faz sentido que ele automaticamente mascare a tristeza, o medo e a vulnerabilidade com a raiva como forma de se proteger. No entanto, para os outros números do Eneagrama, a raiva do Oito costuma ser vista como uma barreira, não como um limite. Os tipos menos agressivos (Dois, Quatro, Seis, Nove) tendem a se resguardar nas interações com o Oito, e quando isso acontece a verdade e a autenticidade que o Oito busca nos relacionamentos têm menos chance de se tornar realidade.

Wendi, uma amiga tipo Oito que é professora no ensino fundamental, me contou sobre um debate que teve com uma colega acerca da classificação das crianças que iriam para as turmas da pré-escola e do primeiro ano. Wendi achou que elas haviam chegado a um consenso em relação ao que seria melhor para as crianças e que o problema estava resolvido. Quando descobriu que o acordo não fora cumprido, ficou muito chateada. De cabeça quente, confrontou irada a colega e isso abriu uma grande ferida no relacionamento das duas. Contudo, após sua irritação por justa causa, Wendi refletiu sobre seus atos:

> Se eu tivesse esperado e processado o que estava acontecendo com calma e reflexão antes de conversar com ela, talvez tivesse conseguido expressar meus pensamentos e sentimentos de forma que ela ouvisse. Caso contrário, pelo menos não precisaria reexaminar meu comportamento depois. Estou aprendendo a parar e pensar antes de conversar com alguém quando estou irritada. Quero ser respeitada e considerada uma pessoa ponderada,

inteligente, sábia e madura. Quando reajo de maneira exagerada, sinto a necessidade de justificar meu comportamento.

As pessoas tipo Oito raramente se arrependem da confrontação. Dependem da energia que extraem da necessidade de ser independentes, mas, não raro, perdem de vista a realidade de que a agressividade acaba ofuscando sua intenção.

O real problema é que a luxúria, a intensidade e a raiva servem de máscara para expressões de emoções profundas. Por essa razão, o Oito se engana, pensando que está em contato com seus sentimentos, quando, na maior parte das vezes, isso está longe da realidade. É preciso consciência de intenção para que o Oito reconheça, sinta e então nomeie seus sentimentos.

Desconexão dos sentimentos. As pessoas tipo Oito têm, ao mesmo tempo, muita paixão por tudo e por nada em específico. Costumam usar a intensidade como substituto por outros sentimentos como alegria, tristeza, vulnerabilidade ou constrangimento. Quando deparam com sentimentos que revelam fragilidade, como a mágoa ou o medo, despertam uma reação rápida e consistente de ação decisiva a fim de se sentirem fortes de novo. Qualquer sensação de fraqueza ou dependência é evitada a todo custo. Os problemas surgem porque os relacionamentos prosperam em meio à *inter*dependência, isto é, mutualidade frequente mas não planejada entre pessoas que se relacionam umas com as outras. O Oito precisa entender que sentimentos brandos não são sinal de fraqueza.

A ilusão de controle se esfacela quando o Oito é confrontado por sentimentos que não consegue reprimir. Todos já vimos isso acontecer: uma demonstração de ternura para alguém próximo que é, ao mesmo tempo, frágil e forte; o amor por alguém cuja vida é marginalizada, mas cuja resposta à vida não é; a afeição profunda por alguém que supera dificuldades indescritíveis com regularidade. O Oito não tem medo de sentir; teme, porém, que seus sentimentos o traiam.

Medo de traição. Nos *workshops* que ministro, as pessoas tipo Oito falam muito sobre ser traídas e, com frequência, citam alguns daqueles que foram desleais com elas. Ouvi Oitos me contarem essas histórias de traição por muito tempo antes de começar a lhes dizer coisas do tipo: "Eu não chamaria isso de traição. Você não acha que pode ter sido um erro?", ou "Acho que foi uma má escolha, mas não chamaria de traição". Quando reformulo os acontecimentos para essas pessoas tipo Oito, elas parecem surpresas. Jamais lhes cruzou a mente a possibilidade de que aquilo que vivenciaram como traição pode ser outra coisa ou ser visto de forma bem diferente da perspectiva de outro.

Certa tarde, em uma festa de aniversário em nossa família, tive a chance de conversar sobre traição com Joey, nossa Oito da casa. Sentadas lado a lado, com os pés dentro da piscina e bebidas refrescantes na mão, pedi-lhe que me explicasse a traição com base em seu ponto de vista. Sua resposta foi simples: "Sinto-me traída todos os dias, porque pessoas que não me conhecem fazem um julgamento acerca de quem eu sou e então alimentam esse juízo de valor com os próprios sentimentos, sem nem fazer o esforço de me conhecer ou de se conectar comigo de alguma forma".

A última coisa que o Oito quer é magoar alguém que ama. Ao descobrir que feriu você, sua reação interior não é nada mecânica. Mesmo que mantenha a compostura, sofre muito e fica desolado ao saber que se aproveitou de sua vulnerabilidade de alguma maneira.

Estresse e segurança

Um dos pontos fortes do Eneagrama é o fato de não ser estático como muitos outros sistemas semelhantes. Ainda assim, é bastante previsível. Dependendo de onde a pessoa se encontra em sua jornada e no desenrolar das circunstâncias, cada número pode estar na parte saudável, mediana ou prejudicial de seu espectro. Quando o Oito está saudável e no melhor ponto dos relacionamentos, é otimista, brincalhão e generoso. Pode demonstrar grande aceitação e se mostrar disposto a perseverar, independentemente do que aconteça. Nessa condição, é comprometido, verdadeiro e apoiador de pessoas comprometidas com o sucesso.

> Todos temos a mesma reação inicial ao estresse: exageramos o comportamento de nosso número.

No ponto menos saudável, o Oito é combativo, possessivo, arrogante, intransigente e rápido em apontar defeitos. Uma mulher tipo Oito explicou que a carência dos filhos é algo que a incomoda demais: "Eu digo para meus filhos: recomponham-se! Vocês são melhores do que isso. Não tenho quatro diplomas para lavar suas roupas sujas. Estou criando homens, não meninos fracotes. Cuidem de si mesmos!". No entanto, o Oito pode aprender a reconhecer que a carência nos outros costuma ser uma tentativa de conexão e que há algo a ser ganho quando se estende a mão.

O excesso em qualquer número nunca é bom. O Oito em estresse reage com agressividade, intensidade e autoafirmação palpável. O principal mecanismo de defesa do Oito é negar todos os sentimentos que insistem em aparecer de tempos em tempos. Isso os instiga a trabalhar mais duro e a realizar mais, quando, na verdade, tudo de que precisam é parar.

Penso que é justo dizer que tudo aquilo que a maioria de nós considera estressante — prazos, confrontos, discussões, crises, o comportamento problemático dos outros ou acontecimentos que parecem sair do controle — as pessoas tipo Oito acham confortável. Elas mergulham diretamente em tais situações com empolgação e determinação. Certa mulher tipo Oito explicou: "Entro de cabeça como se fosse o Exterminador do Futuro, tentando identificar amigos ou inimigos. Quem é contra mim? Quem está a meu favor? É assim que eu me protejo. Quero me portar de tal modo que ninguém me controle. Quando calço meu salto mais alto, fico com 1,85 metro e assim olho para todo o mundo de cima".

Para o bem de nossos relacionamentos, é importante reconhecer que algumas pessoas tipo Oito — ou, quem sabe, a maioria — realmente acreditam ser capazes de mudar a realidade para se conformar com sua forma de ver as coisas. Se você está lendo isso, por favor, não diga para si mesmo: "Que loucura!". Lembre-se: o Oito também acha que nossa forma de enxergar e fazer as coisas é maluca. Esse é um dos motivos para precisarmos do Eneagrama.

O Oito nega os próprios limites e é por isso que ou entra com tudo, ou nem entra. Infelizmente, sem o conhecimento do Eneagrama ou alguma experiência de vida, ele nega os limites dos outros também. Muitas pessoas tipo Oito chegam a negar até mesmo que *há limites*. O estresse que isso causa cobra um preço deles e de seus relacionamentos com os outros.

Em situações estressantes, os homens tipo Oito se negam a parar. Esperam cada vez mais de si e dos outros. Qualquer um que não consiga acompanhar o ritmo é suspeito. Se você vive ou trabalha com um Oito, então sabe que a raiva dessa pessoa pode encher o ambiente. É algo assustador para quem não está habituado a essa experiência. Quando o homem Oito falha, conforme sem dúvida acontecerá em algum momento, às vezes se retira, mas, em geral, continua em frente, realizando sem parar. Já ouvi muitas histórias de homens tipo Oito com doenças ligadas ao estresse, como ataques cardíacos e derrames, porque não conseguiram aceitar que existe tempo e lugar para parar.

Quando as mulheres tipo Oito estão muito estressadas, ficam mandonas e estridentes. Sua ira é inconfundível e se recusam a ser acalmadas. Ao contrário dos homens de mesmo número, porém, quando se chocam contra a parede, tendem a desabar, chorar um pouco e dormir. Se estiver relativamente saudável, a mulher tipo Oito se retira sem uma palavra quanto a voltar. Caso contrário, não deixa dúvida na cabeça de ninguém em relação a sua raiva e que estará indisponível por período indeterminado.

O OITO E OS OUTROS

Um: O Oito é comprometido e cheio de energia como o Um, mas não compartilham o mesmo foco. Em geral, o Um foca o problema e o Oito, a solução.

Dois e Cinco: O Oito compartilha uma linha tanto com o Dois quanto com o Cinco no Eneagrama, migrando para o Dois em segurança e para o Cinco em estresse. O Oito necessita da suavidade, do afeto e da sintonia com os sentimentos dos outros que o Dois possui. O Oito precisa também da capacidade do Cinco de ir devagar, reunindo as informações necessárias antes de agir, bem como da capacidade de apreciar os momentos em que uma postura neutra tem seu valor.

Três e Sete: O Oito se dá muito bem com o Três e o Sete, pois todos pensam rápido, trabalham bastante, jogam duro, realizam muito e não são propensos a sentimentos suaves. Esses três tipos são voltados para o futuro e cheios de energia para correr atrás das coisas. São ótimos colegas e companheiros de trabalho.

Quatro: O Oito tem dificuldade de estar presente durante as variações de humor do Quatro. Mas quando o Oito aprende a permitir isso, pode descobrir que os tipos Oito e Quatro, na verdade, têm bastante em comum: são os números mais intensos e passionais do Eneagrama. E ambos se comprometem com a honestidade, a despeito do preço.

Seis: O Oito acha difícil ter paciência suficiente para esperar pelo Seis. O Seis é metódico, então vê as coisas em tempo real, ao passo que o Oito costuma focar o futuro. No enquanto, quando o Oito escuta o Seis e espera sua resposta, ambos podem sair ganhando.

Oito: Quando duas pessoas tipo Oito se juntam, é muita intensidade. Por isso, uma delas precisará se voltar para dentro às vezes e será necessário dividir as responsabilidades. Não se esqueça de que um Oito com asa Sete é bem diferente de um Oito com asa Nove.

Nove: O Oito pode ter um relacionamento fascinante com o Nove quando ambos são maduros e estão em um espaço mental saudável. O Nove tem a necessidade de ter a própria energia, agenda e compreensão do que lhe compete fazer. Quando o Oito segue o Nove de forma voluntária e intencional, o resultado pode ser maravilhoso.

Embora o Oito prospere em meio ao estresse, essa energia excessiva pode começar a custar cada vez mais caro. Quando isso acontece, intuitivamente ele migra para o Cinco e se afasta do mundo. Isso é bom. Dá espaço para pensar bem em toda a situação e retomar a interação com a vida e os outros em uma posição melhor. Quando o Oito se sente seguro, tem acesso a parte da energia e do comportamento do Dois. Isso é positivo porque, nesse espaço, conecta-se emocionalmente com os outros de maneira que permita uma troca de ternura que, não raro, é acobertada pela agressividade.

Limitações nos relacionamentos

Seria um erro pensar que o Oito não deseja, nem valoriza os relacionamentos. Isso não é verdade. Mas não necessita de tantos relacionamentos ou não tem tempo para isso. Por essa razão, em geral não faz amizade com os colegas de trabalho. Não se esqueça de que o Oito é companheiro e um bom membro da equipe. A única questão é que suas conexões sociais significativas em geral são vividas em outras áreas da vida.

O Oito prefere ter poucas amizades com pessoas que também valorizam a independência. Para ser amigo de um Oito, é necessário ser uma pessoa fidedigna e segura. O relacionamento deve ser confiável, mas também livre de expectativas. Um de meus aprendizes diz: "É literalmente *impossível* para mim ter um relacionamento significativo com alguém que não tenha autoconfiança suficiente para se defender".

Muitas pessoas tipo Oito sofrem com a falta de equilíbrio que resulta da ênfase excessiva em fazer e do hábito inconsciente de ignorar os sentimentos — próprios e dos outros. Mas esse foco em fazer pode custar caro.

Jeff, o mais velho de três filhos e único Oito da família, tinha todas as características necessárias para tomar decisões relativas aos pais idosos, mas isso não significa que queria fazer tudo sozinho. Muito embora Jeff desejasse o envolvimento dos irmãos, à medida que o tempo passava, acumulava cada vez mais responsabilidades, ao passo que os irmãos faziam menos. Presumiu que os irmãos não queriam fazer o que era necessário, ou que se recusavam a se envolver. Assim, quando a saúde da mãe piorou, colocou-a para morar em sua casa.

Seguindo o padrão familiar já bem estabelecido, Jeff cuidou de tudo após a morte da mãe: escolheu a funerária e o caixão, escreveu o obituário para os jornais e fez o discurso de despedida. Após o culto, a filha de Jeff de doze anos de idade lhe perguntou porque ele não chorou em momento algum. Naquele momento de despedida, recomeço e vulnerabilidade, Jeff a envolveu nos braços e lhe deu um forte abraço. Mas não conseguiu dizer o que acreditava ser a verdade: caso permitisse que suas emoções tomassem conta, não haveria ninguém para fazer o que era preciso para sepultar a mãe. Acredito que muitas pessoas tipo Oito passam a vida inteira crendo que devem ignorar seus sentimentos mais sensíveis a fim de fazer o que necessita ser feito.

A verdade é que aquilo que vemos e nossa maneira de enxergar também determinam o que nos escapa. Estou convicta de que o Oito não faz ideia de como sua determinação a não se mostrar vulnerável afeta as outras pessoas. Não sabe que seu jeito arrojado de assumir o controle leva os outros a sentir que a presença deles é desnecessária ou sem importância. O Oito não percebe que muitos de nós interpretamos sua falta de vulnerabilidade como indício de que não confia em nós como realmente somos, com defeitos e tudo o mais. Os relacionamentos comprometidos e de longo prazo são construídos, em parte, ao se caminhar ao lado de alguém, sem necessidade de liderar ou seguir, em meio às celebrações e aos sofrimentos.

Em geral, o Oito está no comando a despeito de onde esteja ou de quem o acompanhe. Por isso, é importante que se lembre de que os relacionamentos são cultivados com base na mutualidade e na colaboração — e é fácil desconsiderar ambos os aspectos quando se está sempre em papel de liderança. Uma de minhas pessoas preferidas no mundo, a escritora e pastora Nadia Bolz-Weber, me contou certa vez que precisa sempre manter em mente o peso de sua opinião em sua igreja, a Casa para Todos os Pecadores e Santos:

> Nossa igreja não funciona com sistema de comissão [...], então tudo é do tipo "Estou dentro!". Por exemplo, eu digo: "Quem quer participar de uma reunião para definir a liturgia dos cultos da Quarta-feira de Cinzas e do Domingo da Alegria?". E quem aparecer formará a comissão de liturgia daquele dia. Para que

isso funcione, porém, preciso estar disposta a abrir mão de duas coisas: controle e previsibilidade. Não dá para prever quem virá (ou mesmo *se* alguém virá). E preciso abrir mão do controle, ou seja, é necessário permitir que as pessoas participem. Logo, é um tipo bem peculiar de liderança. Não é "qualquer coisa serve" — eu continuo na liderança, ainda ocupo esse papel. Contudo, se alguém tiver uma ideia, preciso avaliar comigo mesma e com o ambiente. Preciso ser honesta. E rápida... E responsável com o fato de que minha voz carrega muito peso. Para isso, é preciso muita autoconsciência. Nem sempre acerto, mas é esse tipo de coisa que é difícil. Quando, porém, eu faço bem meu trabalho, é possível administrar a situação, sem passar por cima de ninguém.[2]

Creio que o Oito imagina estar se protegendo ao permanecer no comando. No entanto, ser aquele que sempre lidera, controla e toma decisões em um relacionamento pode causar isolamento. E, com frequência, não permite que o Oito aprenda a lidar com as surpresas que a vida inevitavelmente traz. É importante notar que todos nos protegemos de algumas coisas (por exemplo, o Nove se protege de conflitos, o Sete toma extremo cuidado para evitar a dor, e o Quatro trabalha duro em sua preocupação com o abandono). O Oito tem o compromisso de se proteger de emoções inesperadas, mas, conforme foi possível identificar na história de Nadia, quem é Oito precisa aprender a não passar por cima das pessoas.

O caminho juntos

O Oito é bem claro em sua forma de se relacionar com os outros. Se observá-lo, ficará óbvio quem tem ou não acesso a seu lado mais brando e terno. Minha filha Joey e eu estávamos dando uma aula juntas certo dia quando ela apresentou ao grupo uma declaração bastante perceptível de como o Oito aborda os relacionamentos no trabalho.

Juntando as mãos em forma de concha, ela explicou: "Só tenho isto de 'fofo e quentinho' dentro de mim. E pronto. Não sobra mais nada. Nunca. A maior parte vai para meu marido e meus filhos. O pouco que resta vai para a criação de conexões pessoais autênticas com clientes em potencial. Não pergunto a meus colegas de trabalho sobre a vida pessoal de cada um, nem revelo detalhes da minha. Vou trabalhar todos os dias com o objetivo de cumprir a tarefa que me foi designada — e atribuo grande importância a fazer bem essa tarefa. Caso meus colegas dediquem energia a fazer bem sua tarefa, poderemos desfrutar o companheirismo de nos esforçar juntos. Caso contrário, não terei nada a dividir com eles. Eu já tenho amigos. Não vou ao trabalho para fazer amizades".

Embora contrarie a intuição do Oito, é vital reconhecer que trazer os sentimentos para a equação ao conviver com os outros será benéfico tanto para você quanto para aqueles com quem se relaciona. Uma vez que seus sentimentos não costumam aparecer regularmente em seu arsenal para dominar o mundo, eles consistem em uma das partes mais puras de seu ser. Permitir-se parar a fim de pensar em como você se sente acerca de uma situação e levar em conta esses sentimentos antes de *fazer* também lhe farão muito bem em seu caminho nessa jornada fantástica pelo Eneagrama.

RELACIONAMENTOS *para* o OITO

Depois de tudo que foi dito e feito...

Um dos maiores presentes do Eneagrama é que ele nos ensina o que podemos ter e o que não podemos, bem como aquilo que precisamos aceitar e permitir. Para quem é Oito: nem todos conseguem ser tão fortes quanto você. Há algumas outras coisas que o Oito precisa manter em mente:

Você pode...

- ocupar posições de liderança se houver pessoas dispostas a segui-lo — e isso requer respeitar a maneira delas de enxergar o mundo.
- reconhecer que você pode liderar e fazer planos, mas não é capaz de controlar os resultados.
- contratar pessoas arrojadas, mas não se esqueça de que sempre precisará trabalhar com quem não tem essa característica.
- aprender o valor da moderação, colaboração e paciência, além de cultivar a autoconsciência necessária para praticá-las.
- proteger-se emocionalmente, lembrando que não é capaz de evitar a vulnerabilidade.

Mas você não pode...

- ser plenamente ouvido sem levar em conta as outras oito maneiras de receber informações.
- evitar ou negar a vulnerabilidade e, ainda assim, ter êxito nos relacionamentos.
- liderar sempre. Você precisa aprender a seguir outro líder graciosamente.
- afetar o mundo sem ser afetado por ele.
- resolver todos os problemas com ação e força.
- compartilhar sentimentos que você não se permitiu vivenciar.

Por isso, você precisa aceitar que...

- nem sempre está certo.
- não pode garantir os resultados.
- você viceja em meio ao estresse, mas outras pessoas não.
- há algo maior do que você mesmo para se concentrar.

RELACIONAMENTOS *com* o OITO

O principal a se ter em mente em relacionamentos com pessoas tipo Oito é que a agressividade delas não é uma questão pessoal. Elas não têm a intenção de causar danos, por isso não se deixe enganar por suas opiniões e paixões intensas. Eis algumas formas adicionais de cultivar relacionamentos melhores com os Oitos em sua vida:

- Muito embora o Oito seja forte e assertivo, não se esqueça de que ele também necessita de cuidados.
- Se você não se posiciona para se defender, se não é disponível, se deixa de ser honesto e se é indireto, então se torna invisível para o Oito.
- Não faça rodeios. O Oito gosta de uma comunicação breve, direta e verdadeira.
- Saiba que o Oito é controlador nos relacionamentos simplesmente porque não quer ser controlado.
- Dê o seu máximo em tudo aquilo que fizer. Faça o que prometeu e deixe o Oito saber que você está totalmente empenhado — ou não.
- O Oito não gosta quando você fala dele pelas costas — e não entende por que você faria isso. Se tivesse a oportunidade, ele lhe diria: "Por que você foi falar com outra pessoa o que pensa a meu respeito? Fale para *mim*! Sou capaz de lidar com isso".
- Se o Oito não estiver contente com você, ele dirá. Caso não fale nada, mas pareça um pouco distante, muito provavelmente a questão não tem nada a ver com você.
- Reconheça as contribuições que o Oito faz, mas não o bajule, porque ele não confia em bajulação, nem precisa disso.
- Incentive o Oito a fazer exercícios físicos com regularidade. Um bom programa de exercícios gasta parte de seu excesso de energia.
- Saiba que, às vezes, o Oito confunde sensibilidade com manipulação.
- A intensidade sempre é bem recebida. Seja forte, seguro de si e daquilo que você pensa e em que acredita.
- Não se esqueça de que, em geral, o Oito não tem consciência do quanto ele afeta os outros.

— Tipo 9 —
Arriscar o conflito em busca de conexão

Andy Gullahorn, um homem tipo Nove e músico extremamente talentoso, conta uma história de seu primeiro trabalho quando ainda estava no ensino médio e morava em Austin, no Texas.

As melhores coisas em minha carreira aconteceram quando eu tinha 16 ou 17 anos de idade. Comecei a tocar violão no ensino médio e aprendi depressa, pois já estudava piano fazia bastante tempo. Logo o violão ganhou minha predileção. Havia uma mulher que trabalhava com meu pai na firma de advocacia dele. Ela também tinha uma banda que fazia *cover* de músicas *country*. Um dia, perguntou se eu queria tocar guitarra base em um evento fora da cidade. Eu queria tocar praticamente com qualquer pessoa, em quase qualquer lugar, então é claro que disse sim.

A apresentação era no pátio do corpo de bombeiros de Pedernales, Texas. Eu estava me divertindo ao tocar com a banda, enquanto as pessoas cantavam e dançavam. Tocamos quatro ou cinco músicas e todos estavam aproveitando bastante, quando olhei ao redor e vi Willie Nelson vindo em nossa direção. Era aniversário dele e o corpo de bombeiros de Pedernales fica ao lado de sua fazenda. Ele conhecia a vocalista e, depois de conversarem um pouco, ela disse:

— E aí, quer tocar algumas músicas?

Willie respondeu:

— Claro!

Ele subiu e tocamos juntos por algumas horas. Eu estava feliz na guitarra base, fazendo a harmonia em qualquer tom que Willie escolhesse. Já conhecia todas as músicas dele, então não era difícil para mim. Todos nos divertimos muito fazendo música juntos. Chegou um momento em que pensei: "Uau! Essa é minha primeira apresentação de verdade e estou acompanhando o Willie Nelson!".

Nós não fomos apresentados de fato, mas, quando acabamos, eu disse:

— Obrigado!

E ele respondeu:

— Eu que agradeço!

Foi isso.[1]

O que está acontecendo?

Como você se imagina nessa situação, do início ao fim?

Como você acha que sua reação naquela noite, tocando guitarra base com Willie, seria diferente da esboçada por Andy?

Como o Eneagrama explica a diferença entre a reação de Andy e aquela que você imagina que teria?

Se você é músico aos 16 anos no Texas e sua primeira apresentação em público se transforma em uma noite tocando guitarra base para Willie Nelson, é algo realmente incrível. A menos, é claro, que você seja como Andy: um Nove capaz de se desligar emocionalmente da experiência de tocar a harmonia para uma lenda da música *country*. A verdade é que precisamos nos conhecer com base em como interagimos com estranhos a fim de entender melhor como nos relacionamos com as pessoas com quem convivemos no cotidiano. O Nove tem a capacidade de se desconectar em qualquer relacionamento.

O Nove tem a tendência de se apagar dos eventos. Entrar em um relacionamento com alguém, não importa quem ou por quanto tempo, é uma experiência de vulnerabilidade que diverge para cada um de nós. O Nove administra essa exposição se certificando de que sua presença não é importante. Pode contribuir com o que tem a oferecer ou não, na crença de que isso não afetará os resultados de qualquer maneira. Mas Willie Nelson teve uma excelente comemoração de aniversário no pátio do corpo de bombeiros da cidade de Pedernales em parte porque pôde tocar seu violão e cantar as músicas que ama. E a música estava melhor naquela noite para Willie e todos os outros porque Andy Gullahorn já conhecia todas as músicas de Willie e sabia tocar a guitarra base em qualquer tom. A presença de Andy não foi irrelevante para ninguém exceto para o próprio Andy.

Quando o Nove consegue compreender a ideia de que sua presença é importante, o impacto é positivo em todas as suas interações com os outros, sobretudo com os mais amados.

O mundo do Nove

As pessoas tipo Nove têm menos energia que todos os outros números do Eneagrama. São cordatas e complacentes. Simplesmente não gostam de atrito, porque, em sua experiência, intensidade e desejos costumam resultar em desconforto e confusão. Mas é preciso muita energia para manter essa atitude desencanada o dia inteiro.

Meu marido, Joe, é tipo Nove. Embora seja a melhor pessoa que conheço, ele se distrai com facilidade. Minha agenda é tão cheia que é raro eu passar um fim de semana em casa que não seja feriado. Anos atrás, em um fim de semana desses, Joe disse que estava tão empolgado por eu estar em casa que fizera planos de passar aqueles dias com uma intenção em mente: me mimar. O plano incluía dormir até tarde, me levar café da manhã na cama, filmes, sonecas — e tempo com ele que, para mim, é o maior de todos os tesouros.

Na manhã de sábado, quando acordamos, ele sugeriu que eu ficasse na cama lendo e prometeu que voltaria com meu café. Escolhi um dos meus livros de cabeceira e comecei a ler. Li, li e li mais um pouco. Finalmente, ouvi a porta da frente se abrir. Então escutei o barulho da porta da despensa abrir e fechar. Observei o barulho do jornal ser jogado no balcão da cozinha e o bipe do alarme na porta da garagem. Comecei a me perguntar se ele se lembrava de que eu estava eu casa, quando ouvi o som familiar do rangido da porta da garagem se abrir, seguido do barulho do cortador de grama.

> Você não é capaz de mudar seu jeito de enxergar o mundo — você só pode mudar o que *faz* com aquilo que enxerga.

Na varanda dos fundos, com as mãos nos quadris e uma expressão que Joe descreve como partes iguais de curiosidade e decepção, eu me senti esquecida, negligenciada e sem importância. Ao me ver, Joe parou de cortar a grama e insistiu em que eu voltasse para a cama, pois chegaria imediatamente com meu café. Momentos depois, lá estava ele, à porta, com a caneca na mão, dizendo:

— Você não quer saber o que aconteceu?

— Estou morrendo de vontade!

— Bem, eu estava indo para a cozinha, quando ouvi o gato do vizinho à nossa porta da frente. Fui lá afugentar o gato, vi que o jornal já tinha chegado, tirei da sacola e a joguei no lixo. Coloquei o jornal no balcão e as propagandas estavam bem por cima. E adivinhe o que aconteceu? Vi que o retrós de arrancar ervas daninhas do cortador de grama está em promoção! Sei que você não sabe muito sobre retrós de cortador de grama, mas...

— É verdade. Eu não sei nada sobre o arrancador de ervas daninhas e seu retrós.

— Bem, custa caro e tem de vários tamanhos. Fui à garagem ver que tamanho usamos e a boa notícia é que o da nossa máquina é o mesmo que está em promoção, que é do tipo compre um, leve dois. Que maravilha, né? Encaixei de novo o retrós no cortador de grama e pensei: "Que manhã linda! Eu deveria cortar a grama!".

Se você está em um relacionamento com um Nove, precisará aceitar que a vida dele é feita de distrações. Mesmo quando é intencional em relação ao foco, muitas vezes acaba se perdendo e fazendo algo que não é parte do planejamento do dia. Quando ele se distrai de você, não leve para o lado pessoal. Não tem nada a ver com você — é apenas o *jeito dele de ver as coisas.* As pessoas tipo Nove seguem tudo aquilo que passa à frente delas, independentemente da tarefa em suas mãos. Com frequência, contam-me que buscam resolver essa propensão a distrações o tempo inteiro.

Conflito e autoproteção. Todo mundo evita algo, e o Nove evita conflitos. Com base em sua perspectiva, vale a pena brigar por muito poucas coisas, a menos que se trate de uma decisão que envolva sua integridade. Sem dúvida, não quer perder tempo em discussões sobre aquilo que chamam de "picuinhas". Talvez esse seja o segredo para sua atitude pacífica.

As pessoas se sentem atraídas pelo Nove e desejam conhecê-lo melhor. Às vezes, porém, parece para o Nove que os outros querem demais dele — querem saber tudo a seu respeito, quem é e o que defende. Isso pode ser um grande desafio, porque o Nove tende a se misturar às ideias e aos objetivos dos outros, a fim de evitar conflitos. E, quando faz isso, costuma deixar os outros meio confusos, perguntando-se se é possível confiar no Nove.

O dr. Chris Gonzalez, terapeuta familiar e conjugal, explica esse fenômeno do Nove se fundir aos outros:

> Tenho dificuldade de me encontrar ou me entender porque tendo a mudar drástica e radicalmente a expressão de minha personalidade dependendo de com quem estou e onde estamos. Se estou com alguém emocionalmente bem expressivo, tenho a tendência de ser mais emocional. Se as pessoas a meu redor têm personalidade dominante ou são propensas a conflitos danosos ou expressões de raiva, escolho ser submisso. É provável que eu faça o que for preciso para apaziguar a raiva e maximizar a paz alheia.[2]

Embora a motivação para esse tipo de atitude seja manter a sensação de paz, Chris compreende o quanto esse comportamento pode ser confuso e prejudicial para relacionamentos contínuos com pessoas presentes em sua vida diária.

É provável que o Nove jamais entre de cabeça nos conflitos, mas pode aprender a ter conversas difíceis, nas quais tem a coragem de dizer o que pensa e destacar suas preferências sem perder nada. Quando isso acontece, quase sempre é bom para os relacionamentos. Quando não, resta à outra pessoa a tarefa de adivinhar, supor e esperar. Mike McHargue (conhecido como "Science Mike", apresentador do *The Liturgist Podcast*) explica como os conflitos podem ajudar os relacionamentos a crescer:

> Quando compreendo que sou avesso até mesmo a conflitos saudáveis, que um conflito saudável gera intimidade e fortalece os

relacionamentos, tal *insight* me leva a dar passos intencionais na exploração e experiência do conflito quando necessário para mitigar alguns dos aspectos mais fracos ou difíceis de minha personalidade. Trata-se de um aprendizado que eu jamais teria descoberto sem o Eneagrama.[3]

Adivinhar, supor e esperar em um relacionamento é cansativo, danoso e, na maior parte do tempo, contraproducente. Assim como todo mundo, o Nove tem desejos, ideias e preferências. E é perfeitamente capaz de nomeá-los se estiver disposto a se arriscar. Aliás, seus relacionamentos melhoram por causa disso.

Preguiça. Muitas vezes, o Nove é incompreendido, mas de forma suave. Ele está sempre trabalhando, mas às vezes trabalhando na coisa certa no momento errado. Há pouco tempo, um Nove me contou que ouviu um pastor de Abilene, Texas, redefinir preguiça: "Não é preguiça; é se ocupar fazendo algo que o impede de realizar o que deveria ser feito". Depois de pensar sobre a preguiça de acordo com esses novos termos, a realidade o atingiu em cheio: "Sou muito, muito bom em fazer coisas e convencer todos de que aquilo que estou fazendo é importante. Mas a verdade é que minha energia vem da negligência daquela outra coisa que eu deveria estar fazendo, mas não quero". Trata-se de um *insight* valioso que somente um Nove seria capaz de explicar!

O Nove extrai sua energia de evitar o que necessita ser feito. Aliás, alguns de seus melhores

9

O Nove às vezes parece distraído ou desengajado, mas isso não revela necessariamente falta de interesse.

pensamentos ou seu pico de criatividade acontecem enquanto evita a tarefa que, por um motivo ou por outro, requer sua atenção imediata. No entanto, aqueles que se relacionam com alguém tipo Nove dificilmente compreendem essa dinâmica. Passam a acreditar que o Nove é preguiçoso e presumem que, se há algo a ser resolvido, eles mesmos precisarão fazer.

Ação certa. Um dos aspectos mais notáveis do Eneagrama é que ele oferece uma rede de segurança para cada tipo de personalidade. O contraponto para a tendência que o Nove tem de se misturar em busca de paz em questões sem importância se chama *ação certa*. Trata-se de um conceito essencial para entender os relacionamentos. Quando a decisão de agir inclui o potencial de conflito e consequências negativas, mas o ato é escolhido assim mesmo, ele é considerado a ação *certa*.

> Na sabedoria do Eneagrama, a melhor parte em você é também a pior parte em você.

O Nove *não* é uma pessoa maleável, do tipo maria-vai-com-as-outras, que não tem limites. Contudo, é alguém com um total limitado de energia, que cuida bem de como irá usá-la. Há muitas coisas que os outros números levam muito a sério, mas não engajam o Nove. Para ele, a maioria das coisas não vale o risco e as perdas inerentes ao conflito. Quando, porém, algo é muito importante — quando envolve uma decisão com consequências para a vida inteira —, o Nove é confiável, corajoso, comprometido e determinado. Science Mike explica da seguinte forma: "Aprendi a dizer em que eu confio e dizer com confiança, de tal modo que criou uma trajetória em minha vida que pareço estar tentando alcançar. Na verdade, o que aconteceu foi que descobri uma metodologia que dá êxito a meus esforços de pacificação".

Discussões sobre onde tirar férias ou até mesmo sair para jantar podem ser desconcertantes para o Nove. No entanto, quando ele sabe que precisa fazer escolhas acerca de situações importantes e extremamente conflitantes, vai em frente sem hesitar. Há um senso de dignidade e valor próprio proveniente de se posicionar acerca de algo tão importante que não pode ser trocado para condescender com o que seria uma pseudopaz. Talvez até não aconteça com frequência, mas, quando ocorre, o Nove e seus relacionamentos mudam para melhor.

Raiva. Assim como o Oito e o Um, o Nove faz parte da tríade da raiva, no topo do Eneagrama. Dá para saber quando o Oito está bravo com você — ele deixa bem claro o motivo, espera sua reação e então continua a viver o dia. Não é assim com o estilo passivo-agressivo das pessoas tipo Nove. Elas são silenciosamente teimosas — talvez o número mais teimoso do Eneagrama. Recusam-se a ser importunadas, pressionadas ou coagidas a fazer algo. Logo, se esse é seu método de se relacionar com

O NOVE E OS OUTROS

Um: Quando o Um já pensou em tudo e está pronto para avançar, o Nove com frequência quer ficar em cima do muro. O Nove precisa se lembrar de que, embora haja sabedoria em esperar um pouco, também existe o momento de agir.

Dois: Relacionamentos entre os tipos Dois e Nove são comuns e costumam ter êxito. O Nove pode contribuir para o relacionamento ensinando ao Dois que reagir a todos os sentimentos que capta nos outros não é necessário, nem saudável. O Nove também pode ajudar o Dois a reconhecer sua tendência de se intrometer demais na vida dos outros.

Três e Seis: O Nove compartilha uma linha tanto com o Três quanto com o Seis no Eneagrama, migrando para o Seis em estresse e para o Três em segurança. O Nove necessita da confiança do Três para saber que tem algo valioso a oferecer e que sua plena participação na vida é bem aceita pelos outros. O Seis oferece ao Nove a consciência de momentos apropriados para aceitar que não se pode confiar em todo mundo. O desejo de não ser afetado pela vida é significativamente desafiador para o Nove que se recusa a reconhecer isso.

Quatro: Em um relacionamento de longo prazo com um Quatro, a falta de intensidade do Nove pode se tornar um problema.

Cinco: O Nove precisará pedir o que quer e necessita em um relacionamento com alguém de tipo Cinco. Caso o Nove se comprometa a fazer isso, será bom para ambos.

Sete: Os tipos Nove e Sete compartilham de uma visão maravilhosa do mundo. Ambos têm mente aberta e revelam apreço pela diversidade. Mas o Nove precisa tomar o cuidado de não fazer sempre a vontade do Sete só para evitar fragmentação. É necessário para o Sete que o Nove pense nas consequências, pois esse não é o lado forte do tipo Sete.

Oito: O Nove não pode permitir que o Oito defina o relacionamento entre os dois. Não é justo e revela falta de respeito por ambos. Mas Oito e Nove podem ser uma excelente combinação se o Nove resolver se envolver de verdade e mostrar quem é.

Nove: Quando um Nove se relaciona com outros do mesmo tipo, todos devem liderar o processo de questionar o *status quo*.

o Nove, sentirá muita frustração e sofrerá vários desapontamentos, com muito pouco êxito. O Nove tem suas formas de expressar que está magoado ou bravo, mas nenhuma delas é direta. Você pode evitar ser fisgado pelas sugestões vagas e demonstrações não verbais de mágoa ou insatisfação do Nove, mas ambos precisarão dedicar tempo, energia e compreensão para isso.

Uma vez que não é um bom estrategista quando sente raiva, o Nove compra tempo com expressões passivas de seus sentimentos. Fica preocupado que interações verbais diretas e agressivas resultem em fragmentação. Ao mesmo tempo, porém, preocupa-se com a capacidade de controlar a própria raiva caso dê voz e rédeas totais para esse sentimento.

Se começar uma conversa difícil com uma pessoa tipo Nove porque *você* está com raiva, em geral ela apenas ouvirá calada até você terminar de falar. Então metodicamente evitará tanto você quanto o assunto até a situação se acalmar. A despeito da origem da raiva, é provável que escolha se afastar, ficando indisponível, na crença de que, com o tempo, o problema se resolverá sozinho. O Nove precisa aprender que desaparecer em momentos assim costuma aumentar a frustração e a raiva, deixando as coisas bem longe de ser de fato "consertadas".

Se você está em um relacionamento com alguém tipo Nove, lembre-se de que o comportamento passivo-agressivo comunica sua mágoa e decepção — apenas não de maneira direta. Por exemplo, meu esposo Joe costuma me ligar em casa, onde trabalho em sistema de *home office*, cerca de uma hora e meia depois de sair para trabalhar na igreja. Quando as coisas não estão muito bem em nosso relacionamento, ele só liga no fim da manhã. Quando pergunto se algo está errado, ele em geral nega, diz que precisa desligar e que vai telefonar depois mais tarde. Na verdade, o que está acontecendo nesses casos é que Joe está magoado por algo que fiz ou deixei de fazer, ou está bravo. Ele quer que eu saiba, só não quer conversar a respeito. Sua preferência seria que eu reconhecesse seu descontentamento, descobrisse o motivo, evitasse fazer o que causou seu desprazer no futuro e continuasse a vida como se nada tivesse ocorrido.

Para lhe fazer justiça, preciso reconhecer que, depois de trabalhar nisso por muitos anos, Joe cresceu muito na comunicação de forma direta. E nosso relacionamento melhorou por causa desse esforço. Não sei se teríamos conseguido identificar essa reação habitual à mágoa e decepção e escolhido trabalhar em uma estratégia diferente se não conhecêssemos o Eneagrama.

Estresse e segurança

Em situações de estresse, o Nove costuma ser retraído, indeciso, não comunicativo, reticente e teimoso. Em geral, ausenta-se (emocional e fisicamente) e, quando presente, não consegue ou não se dispõe a correr o risco de se conectar com os outros. O Nove não quer ser controlado, nem afetado por nada. Isso o faz diminuir a importância de lidar com possíveis obstáculos. Mas, quando vive esse padrão de comportamento, o Nove corre perigo de perder oportunidades que nunca voltarão. Na esfera dos relacionamentos, a vida acontece em tempo real e é preciso estar presente de verdade para desfrutá-la.

Quando, em situações de estresse, o Nove assume os aspectos mais maduros e saudáveis de comportamento do Seis, costuma ser capaz de modificar o ambiente de maneiras significativas. Com o apoio de algumas pessoas tipo Seis, o Nove costuma dar mais sua opinião, sobretudo no que diz respeito ao que é melhor para o bem comum. Nossa filha Jenny é Nove e trabalha como administradora em uma rede de ensino católica. Quando a escala de pagamento dentro do sistema foi alterada de um modo que não valorizava os professores que lecionavam na escola havia anos, ela se tornou a porta-voz de todo o corpo docente. Mas sua manifestação e seu envolvimento foram uma surpresa para todos. O Nove se preocupa muito com questões de justiça, por isso não deveria causar espanto quando ele levanta a voz e parte para a ação no esforço de acertar as coisas.

> Alguns números do Eneagrama preferem previsibilidade, ao passo que outros requerem espontaneidade.

Quando a vida vai bem e o Nove se sente seguro, é capaz de tirar vantagem de alguns padrões de comportamento que costumam ser associados ao Três. Em essência, isso significa que passa a se dedicar com tudo ao desempenho, a fazer e realizar. Nesse espaço, o Nove estabelece objetivos alcançáveis para si. Sócios e colegas de trabalho ficam especialmente felizes quando o Nove se posiciona, seguro de si, e faz sua parte com confiança.

Limitações nos relacionamentos

É mais difícil para as pessoas tipo Nove saberem quem são dentro de um relacionamento do que para qualquer outro número. Elas parecem chegar a este mundo com o desejo de não ser afetadas pela vida e com a propensão de se amalgamar às ideias e agendas dos outros. Chris Gonzalez explica isso da melhor maneira que já ouvi. Ele diz que, em conversas significativas com os outros, começa a "harmonizar com o que estão dizendo" sobre ele ou para ele. Explica que "é como olhar em um espelho nebuloso — não consigo me ver ou ouvir de verdade, porque estou tentando enxergar o outro".

A resposta de Chris oferece um *insight* valioso:

> Quando compartilho espaço com alguém com bons limites, automaticamente me combino a essa pessoa. Gastaria energia demais separar o que penso e sinto daquilo que o outro expressa com tamanha clareza. Mas quando ele vai embora, consigo pensar com mais nitidez e saber o que quero, o que penso e em que creio. Gasto muita energia para me conhecer. Por isso, se estiver usando essa energia para conhecer você, acabo tendo uma amnésia esquisita a respeito de mim mesmo.[4]

Quando nos relacionamos com alguém tipo Nove, costumamos apreciar essa acomodação com nossa agenda, pois isso quer dizer que conseguimos fazer as coisas do nosso jeito. Então é ao mesmo tempo surpreendente e problemático quando, de repente, ele se levanta com uma opinião ou um desejo forte que entra em conflito com o que queremos. Ainda assim, é muito melhor para o relacionamento quando o Nove consegue estabelecer certa consistência em verbalizar o que pensa, quer e precisa.

A comunicação com as pessoas tipo Nove pode ser confusa. Não deve surpreender o fato de que o Nove com frequência diz apenas o que você quer que ele diga ou escolhe não falar nada, por entender que essa é uma forma de proteger o relacionamento entre vocês. Só depois de certo trabalho de autoconhecimento ele passa a ter ideia de que, em vez de preservar, introduz fragmentação quando não é capaz de ser honesto, ou não está disposto a isso.

Ao pensar sobre o Nove, sua fusão aos outros e sua forma de se mostrar ao mundo, pode ser fácil cair na armadilha de acreditar que se trata de alguém propenso a ceder à pressão de grupo, mas não é o caso. A acomodação aos outros, da perspectiva do Nove, só acontece em questões de pequena importância. O Nove se vê distintamente como alguém capaz de tomar decisões e agir com base nelas com ou sem o apoio dos outros. Na verdade, é um indivíduo independente. Pensa de forma independente e não se importa de agir sozinho. Muito consciente do que os outros querem dele, o Nove não arrisca a própria integridade a fim de participar de uma atividade ou pertencer a um grupo. No entanto, ao contrário da maioria dos outros números, o Nove permanece em silêncio em sua desaprovação. Não deseja que ninguém perceba que não está participando.

9

O Nove se sai melhor quando tem alguém que o ajude a prestar contas de seus objetivos.

Quando eu era adolescente, há muito tempo, a expressão que

usávamos quando queríamos permissão para fazer algo a que nossos pais se opunham era: "Todo mundo está fazendo". E os pais respondiam com algo do tipo: "Se todo mundo pular da ponte, você vai junto?". O Nove não pula da ponte, mas deixa você pular se quiser.

No que diz respeito a escolhas e comportamento, o Nove é o menos controlador de todos os números. Seu apreço pela independência é uma via de mão dupla: quer a dele e deseja que você a tenha também.

O caminho juntos

Gosto muito de contar aos outros a experiência de minha amiga Patsy, professora de crianças com deficiência visual. Certa vez, em uma reunião de orientação a pais e alunos, um oftalmologista levou, para cada pai e mãe presentes, um par de óculos que imitava aquilo que o filho conseguia ou não enxergar.

O resultado foi surpreendente. "Os pais abraçavam os filhos e diziam o quanto sentiam orgulho deles, enquanto os filhos apreciavam o carinho daquelas palavras de afirmação pelas quais eles tão encarecidamente ansiavam", conta Patsy. Os óculos especiais revelaram aos pais os desafios de seus filhos. "As expectativas dos pais foram substituídas por espanto ao se dar conta de tudo que seus filhos eram capazes de fazer enxergando tão pouco."

Essa história causou um impacto significativo sobre Bill Millican, que perdeu a visão por causa de uma doença congênita aos 37 anos de idade. "Patsy nos deu um exemplo real de como as pessoas enxergam o mundo de maneira diferente e do quanto é importante fazer o que estiver a nosso alcance para ver o mundo como os outros o veem".

Na vida profissional, Bill trabalha com mediação judicial. Ele me contou que, por ser Nove, quase sempre consegue ver os dois lados de um conflito e sentir empatia por ambos. Explica: "Está claro para mim que um bom mediador ou pacificador é alguém capaz de ver, compreender e estender empatia a todos os lados da vida. Isso não quer dizer que eu não tenha sentimentos fortes acerca de um lado ou de outro do conflito, apenas que consigo articular com clareza o ponto de vista de todas as partes na discussão. No fim das contas, não é isso que todos procuram — uma chance de ser entendidos enquanto falam sobre sua maneira de enxergar a vida?".

Infelizmente, nosso juízo de valor em relação aos outros é formado sem lhes dar o benefício de enxergar como eles. Assim como os pais daquelas crianças, somos cegos para os obstáculos que determinam como os outros levam a vida e navegam pelo mundo. Sem dúvida, os relacionamentos sofrem com essa falta de visão.

O Nove vê os dois lados de tudo, para o bem e para o mal. Isso dificulta muito seu processo de tomada de decisão, levando a uma fusão ao outro nos relacionamentos. Contudo, quando em um espaço saudável, o Nove se torna disposto a articular o que quer, costuma ir pelo caminho certo, rumo à direção certa, pelos motivos certos. Quando isso acontece, todos se beneficiam.

RELACIONAMENTOS *para* o NOVE

Depois de tudo que foi dito e feito...

Entender o que podemos controlar ou não faz parte da jornada do Eneagrama. Quem é Nove precisa se lembrar de que sua voz importa porque você importa. Seguem algumas outras coisas que o Nove deve manter na lembrança:

Você pode...

- aprender ótimas estratégias para evitar alguns conflitos e resolver outros.
- aprender a administrar a tensão entre se arrepender de ser submisso e o medo de ser insubmisso.
- reconhecer que o relacionamento fica melhor quando você não abre mão de sua identidade pessoal.
- dar passos para se engajar em conflitos de forma saudável, compreendendo que evitar conflitos muitas vezes gera conflitos.

Mas você não pode...

- evitar sempre os conflitos.
- ignorar a realidade de que "mais tarde" não é um momento definido no tempo.
- evitar fragmentação e perda nos relacionamentos. Alguns relacionamentos não duram — e talvez não devessem durar mesmo.
- ter a expectativa de que os outros leiam sua mente.
- ser saudável e pleno se passar a vida se colocando de lado a fim de se conectar com os outros.

Por isso, você precisa aceitar que...

- os problemas não se resolvem sozinhos.
- há momentos em que você precisa se posicionar. Só cabe a você fazer isso, seja qual for o preço.
- não existem relacionamentos saudáveis sem raiva, decepção e conflito.
- sua presença na vida das pessoas a seu redor é muito importante. Elas dependem de você, confiam em você e querem seu envolvimento total na vida que vocês compartilham.

RELACIONAMENTOS *com* o NOVE

O Nove necessita de muita afirmação e afeto. Por isso, se o Nove tiver força de dizer um "não" honesto para você, diga-lhe o quanto aprecia a honestidade e reafirme que não irá embora, a despeito da resposta. Eis algumas outras coisas para manter em mente em relacionamentos com pessoas tipo Nove:

- O Nove tem desejos, sonhos e preferências próprios — incentive-o a nomeá-los.
- Encoraje o Nove a desenvolver a própria identidade no relacionamento com você.
- O Nove aprecia um ambiente pacífico — e quem sabe necessite disso.
- O Nove quer (e precisa de) tempo a sós, o próprio espaço e independência.
- Evite dizer: "Você não acha que a gente deveria _____?". A resposta quase sempre será sim e, por vezes, não será aquilo que o Nove pensa ou quer. Em vez disso, tente perguntar: "Você acha que a gente deveria _____?".
- Enfoque aquilo que o Nove faz, em lugar do que ele se esquece de fazer ou falha em fazer.
- Não interrompa quando o Nove estiver falando. Tenha paciência enquanto ele divaga um pouco — ele acabará transmitindo a mensagem principal.
- Lembre-se de que o Nove tem espírito generoso. Se você não ficar atento, é fácil se aproveitar dele.
- O Nove não gosta de confrontos, mas isso não quer dizer que você jamais deve confrontá-lo. Pontos de vista contrários fazem parte da vida.
- Incentive o Nove a compartilhar as mágoas com você.
- O Nove deseja uma comunicação clara e direta acerca do que é esperado da parte dele.
- Quando o Nove for distraído por coisas não essenciais, você pode redirecionar sua energia fazendo perguntas.
- Lembre-se: concordar nem sempre significa participar. E quando o Nove de fato participa, não significa necessariamente que está comprometido.
- O Nove não toma decisões pessoais com rapidez e, em geral, não quer sua ajuda.

— Tipo 1 —
As coisas sempre podem melhorar

Em uma tarde escaldante de verão, enquanto eu dava um curso introdutório sobre o Eneagrama em Nashville, notei um belo e jovem casal sentado nas fileiras da frente. Amanda estava bem vestida, prestava atenção e parecia uma pessoa muito gentil. Christopher causava uma impressão igualmente favorável: camisa passada com perfeição, barba bem aparada e expressão de atenção cuidadosa. Escutaram atenciosamente quando comecei a ensinar sobre os tipos Oito e Nove, fazendo anotações e, às vezes, acenando para demonstrar concordância e identificação. Quando, porém, comecei a falar sobre o tipo Um, tudo mudou. Pareciam desconfortáveis e surpresos. Olhavam um para o outro repetidas vezes ou se inclinavam para a frente a fim de me ouvir melhor e, quanto mais eu falava, mais incomodados eles pareciam. Amanda chorava intermitentemente e Christopher tentava consolá-la, ao mesmo tempo que obviamente se esforçava para administrar os próprios sentimentos.

Foi então que suspeitei que ambos eram tipo Um.

Quando o Um ouve sobre seu número, sente, ao mesmo tempo, alívio e surpresa. Em geral, acena com a cabeça quando descrevo como eles enxergam a vida. Apruma-se na cadeira ao escutar sobre seus dons de avaliar cada situação e ver o potencial de aperfeiçoamento. E realmente ganho sua atenção quando falo sobre o crítico interior que o lembra a todo instante de que poderia tanto *fazer* melhor quanto *ser* melhor.

Amanda explica: "A questão principal do Um é que nada é bom o suficiente. Esforça-se constantemente para alcançar a perfeição, mas não há como conquistá-la. É impossível". Christopher concorda: "Bom o bastante pode ser bom o bastante para todo mundo, mas eu preciso fazer certo. E não apenas *mais ou menos* certo. Não quero nota 6, mas um 10 redondo".[1]

O que está acontecendo?

Como você acha que seria ter uma voz interior crítica implacável, dizendo-lhe o tempo inteiro que nada é bom o suficiente?

Como essa voz e suas demandas por perfeição afetam seus relacionamentos?

Qual é a diferença, em sua opinião, entre ser bom e ser perfeito?

No que se refere aos relacionamentos, é muito importante lembrar que não dá para mudar sua forma de enxergar as coisas. Só dá para mudar o que você faz com aquilo que enxerga. Ao contrário do Um, alguns números não notam o que está fora de lugar ou não está funcionando; outros até notam, mas não ligam. Com tudo isso em mente, dá para perceber por que *perfeição* é uma palavra que costuma ser associada às pessoas tipo Um. Mas elas não gostam disso.

Quando Ian Cron e eu escrevemos *Uma jornada de autodescoberta*, tivemos várias conversas sobre que palavra usaríamos para descrever o Um. As pessoas que conheço desse tipo sugeriram o "Reformador" ou o "Avaliador" e levamos em conta as duas sugestões, bem como outras que recebemos. A verdade é que a maioria das pessoas tipo Um passa boa parte da vida buscando a perfeição em pensamentos, palavras e atos. Elas o fazem por motivos honráveis, o que não muda a realidade de que agem dessa maneira. E a perfeição é como uma escultura de gelo: ela só dura enquanto não houver nenhuma mudança na atmosfera.

Se você se relaciona com uma pessoa tipo Um, saiba que precisará argumentar com um crítico que você não consegue ouvir, mas que acha defeito em quase tudo que o Um pensa e faz, dizendo-lhe que é defeituoso de alguma forma horrenda e irredimível. Infelizmente, seu jeito de lidar com isso é encontrando defeito nos outros — com frequência, em *você*. Acredita que a crítica é uma forma de cuidado, por isso precisa ser ensinado a reconhecer que nem todos se sentem da mesma forma em relação a ser corrigidos ou buscar aperfeiçoamento.

Um casal tipo Um como Amanda e Christopher cultiva um relacionamento, ao mesmo tempo, belo e complicado: compartilham do desejo de alcançar perfeição, mas têm prioridades diferentes em relação ao que necessita ser aperfeiçoado. Em um casal assim, a voz crítica individual será uma força com a qual ambos precisarão lidar ao longo da vida inteira. Eles estão administrando essa questão, mas seu desafio é aprender a aceitar certo tanto de imperfeição em si mesmos e nos outros, encontrando uma forma de se sentir confortáveis com isso.

> O Eneagrama nos ensina que as nove maneiras de lidar com as crises são, ao mesmo tempo, habituais e previsíveis.

O mundo do Um

A primeira reação do Um a tudo é: "Como posso melhorar isso?". É algo bom, contanto que reconheça que outras pessoas podem estar pensando: "Como posso terminar isso logo e seguir em frente?"; ou: "Eu realmente preciso terminar isso ou posso viver com o que já fiz?"; ou: "Com certeza assim já está bom o suficiente"; ou mesmo: "E daí que está faltando essa partezinha? Eles que façam se querem continuar mexendo em pequenos detalhes". É difícil para o Um entender, quanto mais respeitar, pessoas que não querer dar seu melhor em tudo aquilo que fazem. Sofrem para aceitar qualquer coisa inferior. E, quando tentam, parecem se sentir muito infelizes.

Um de meus alunos de longa data me contou uma história que ilustra esse desejo de perfeição. Ele começou me dizendo que eu havia arruinado sua vida. Como estou acostumada a ouvir as pessoas dizendo que eu salvei a vida delas ou que o Eneagrama fez isso, não sabia como reagir.

— Como eu arruinei sua vida?

— Bem, como você deve saber, estou no seminário agora, então precisávamos de um espaço extra para livros. Compramos uma prateleira daquelas que precisam de uma chave Allen, muita montagem, senso de humor e bastante paciência. As instruções incluíam um diagrama com todas as partes e a orientação de que, se alguma coisa viesse faltando, deveria ligar para o 0800 da empresa registrado no fim da página. Garantiam que eu receberia meu pedido em até dez dias úteis. Quando percebi que estavam faltando dois pregos, um parafuso e uma tampa decorativa de parafuso, pensei que seria melhor encomendá-los para montar tudo direitinho. Então ouvi sua voz em minha cabeça dizendo, daquele seu jeito de falar as coisas: "Quem faz isso?!". Em um instante de fraqueza, concordei com você. Ignorei a outra voz em minha mente, abandonei meu bom senso e resolvi montar a estante sem as peças faltantes.

> O problema acontece quando tipos diferentes do Eneagrama tentam entrar em acordo quanto ao que fazer.

Eu o parabenizei por aceitar essas pequenas imperfeições, mas logo ficou bem claro que ele não estava orgulhoso da escolha, nem grato por minha influência. Disse:

— Não consigo ficar no mesmo ambiente que aquela maldita estante! Toda vez que olho para ela, penso nas peças que faltam e em minha irresponsabilidade de montá-la do jeito *preguiçoso*. Acabou se tornando uma distração tão grande que precisamos colocá-la nos fundos de casa, onde eu quase não a veja. Toda vez que penso na prateleira de livros, sinto-me decepcionado comigo mesmo!

Não há outro número no Eneagrama que exija tanto e recompense tão pouco. As imperfeições estão por toda parte e, mesmo que se alcance uma aparência de perfeição, ela dura tanto quanto um floco de neve debaixo do sol ao meio-dia. É uma luta para a maior parte de nós imaginar a exaustão de viver com uma voz criticando nosso eu e nossas escolhas o dia inteiro, todos os dias. Contudo, se tentamos entender a vida com o Um ignorando tal realidade, há pouca chance de nosso relacionamento ser satisfatório.

Raiva. Todo verão, minha mãe, assim como a maioria das mulheres na comunidade agrícola do Texas onde cresci, fazia conservas com a fartura de frutas e legumes frescos. Ela e as vizinhas passavam um dia ou mais por semana fazendo milho, vagens e tomate em conserva em panelas de pressão imensas, pesadas, complicadas e meio misteriosas para mim. O vapor da panela era medido por um regulador que ficava na tampa. Ele balançava quando a pressão estava correta e apitava quando era excessiva.

A imagem do vapor aumentando na panela de pressão é uma boa forma de descrever o que acontece com a ira no Um.

Às vezes, o Um ferve de raiva. Isso é difícil para os relacionamentos e causa arrependimento profundo. Por essa razão, é muito importante que o Um e seus amados consigam a ajuda necessária para que ele aprenda a administrar a própria raiva.

Mantenha em mente que a raiva do Um não costuma se manifestar por meio de explosões e gritos, mas, sim, de algo um pouco mais insidioso: *ressentimento*. Quando o Um fica bravo com alguém, direciona a raiva primeiro a si mesmo e sente vergonha — vergonha dos defeitos e das falhas em si mesmo e nos outros. A vergonha acrescenta uma qualidade amarga que resulta em ressentimento complexo, algo que os outros precisam entender no relacionamento com as pessoas tipo Um.

Jenay é casada, mãe de três adolescentes e administradora de uma escola de ensino médio. É uma Um típica: organizada, focada em detalhes, trabalhadora e o tipo de amiga que não hesitaria em buscá-lo no aeroporto às duas da manhã. Mas admite já ter perdido a cabeça por causa de suas características de tipo Um mais de uma vez.

Uma dessas ocasiões foi em uma viagem de férias em família com dois filhos pequenos e outro na barriga. "Estávamos hospedados com familiares em Phoenix e decidimos passar o dia em Sedona", relembra Jenay. "Eu havia planejado tirar algumas fotos bem bonitas dos meninos, pensando em usar uma delas em nosso cartão de Natal."

Infelizmente, quando faltavam poucos quilômetros para chegar ao destino, Jenay se deu conta de que a máquina fotográfica não estava no carro. "Para ser honesta, a princípio eu queria culpar meu marido. Mas precisei superar isso

1

Depois de terminar um projeto, o Um costuma se concentrar no que poderia ter sido feito melhor, em vez de celebrar a finalização.

bem depressa, já que ele *nunca* tira fotos — a câmera era minha e eu simplesmente havia me esquecido de levar." Isso aconteceu em uma época anterior aos telefones celulares, então o esposo de Jenay parou em uma loja de conveniências e comprou uma câmera descartável. "Cada cenário em Sedona é tão pitoresco e lá estava eu, tirando fotos com uma câmera descartável. *Uma câmera descartável!*"

Jenay admite ter "passado o dia de mau humor, quase sem abrir a boca" enquanto a família caminhava e explorava as belas montanhas avermelhadas. Na hora do almoço, ela já havia se acalmado um pouco, mas claramente continuava distraída pelo próprio erro. "Foi então que meu marido, com amor e firmeza, olhou bem dentro de meus olhos e disse: 'Você precisa deixar isso pra lá. Não pode permitir que uma câmera boba arruíne nosso dia inteiro!'".

Com frequência, o Um perde o quadro mais amplo de vista porque se concentra compulsivamente no que está errado ou fora de lugar. "Tínhamos dois garotinhos adoráveis, muito empolgados com a aventura de explorar um local diferente, enquanto eu me sentia péssima", admite Jenay. "Não conseguia parar de me recriminar por ter esquecido a câmera. Mesmo tendo aprendido a não me deixar consumir pela aversão a mim mesma nos anos que se passaram desde então, a lembrança da máquina fotográfica esquecida continua mais vívida do que todas as outras daquele dia."

É importante saber que, com frequência, o Um se sente frustrado, mas raramente zangado por aquilo que parece despertar sua raiva. Jenay estava frustrada porque havia esquecido a câmera, não por não ter conseguido registrar os acontecimentos do dia em fotos, mas porque esquecer a máquina significava que ela havia falhado. Quando o Um sente raiva, ele nega, acoberta, renomeia e segue em frente — então a administra aperfeiçoando algo que consegue controlar, como garantir que se lembrará de cada item (listas!) na próxima saída.

O Um ama profundamente e muito bem. Faz tudo que está a seu alcance para proteger as pessoas com quem se relaciona e cuidar delas. É pensativo, cuidadoso, dedicado e apoiador. Mas é difícil acertar com o Um, mesmo em um relacionamento. Tente se lembrar de que as reações dele estão ligadas a sua forma peculiar de enxergar as coisas e, embora não seja um defeito, acaba vendo imperfeições por toda parte. Não se esqueça também de que o Um é muito mais duro consigo mesmo do que com qualquer outra pessoa e que se arrepende profundamente quando sua paciência acaba ou suas expectativas são desproporcionais — sobretudo dentro de casa.

Desconexão com o pensamento. O Um tende a enxergar a vida em termos de responsabilidade e trabalho. Concentra-se no que está acontecendo agora mesmo a sua frente e procura reagir de maneira apropriada, fazendo o que a situação exigir. O Um tem sentimentos profundos em relação àquilo que faz e à qualidade de sua reação em cada ocasião. Por vezes, isso limita a energia que lhe resta para as necessidades e expectativas emocionais dentro dos relacionamentos.

Felizmente, existe uma solução. Mas as pessoas tipo Um tendem a se retrair quando destaco que, com frequência, deixam de lado o pensamento ao decidir o que é seu papel fazer e como devem realizar tal tarefa. Elas acham que estão pensando o tempo inteiro. Mas a verdade é que um diálogo

1

Em geral, as pessoas tipo Um são as primeiras a reagir em caso de necessidade.

interno constante com aquele crítico irritante não é o mesmo que pensar. Aliás, muitas vezes o Um se confunde e acha que pensar é meramente reagir às sugestões de seu crítico interior. Mary, casada, sacerdotisa episcopal e mãe de dois filhos, explica da seguinte forma:

> Quem é Um sempre sabe que há algo mais que necessita ser feito, então não nos damos espaço algum para relaxar. E, de maneira intencional, isso acaba causando nos relacionamentos um clima que não permite às pessoas a nossa volta relaxar também. Por isso, quando estou em casa, quer eu diga algo, quer não, fico toda inquieta porque sei que ainda tenho itens em minha lista a cumprir e não posso ficar parada. Não há motivo algum para que essas coisas não possam ser feitas amanhã. Elas nem precisam ser terminadas hoje, mas fico pensando: "Tenho esse tempinho, então devo aproveitar para fazer aquilo". Quando reajo a esse ímpeto de não parar, mando uma mensagem para todos dentro de casa que ninguém pode relaxar também. "Se eu estou trabalhando, vocês também precisam começar a se mexer. Se eu não estiver calma, vocês também não podem ficar despreocupados."

Se o Um conseguir equilibrar o fazer com a consciência dos sentimentos e com discernimento reflexivo, é possível tomar decisões diferentes. E decisões diferentes podem aumentar a positividade e a saúde de seus relacionamentos.

Medo de ser ruim. Tenho muitas pessoas tipo Um em minha vida e gosto demais delas. São encantadoras, interessantes e envolventes. Embora o Um pareça confiante e relativamente seguro de si, sabemos que todos têm medo de algo. O Um tem medo de ser ruim. Uma vez que o Um passou a acreditar que cumprir as expectativas dos outros o torna, de algum modo, mais valioso e oferece a tão desejada segurança, os relacionamentos começam a dizer mais respeito ao bom desempenho do que a um bom relacionamento e um amor sólido.

No entanto, quanto mais o Um se concentra no que os outros querem dele, mais perde contato com as próprias necessidades e os próprios desejos. Uma vez que esse padrão se instaura, ele só entende a própria bondade em relação a quanto atende a definição dos outros do que é ser bom. Depois de um tempo, regras, padrões e instruções se tornam os limites que determinam como o Um avalia o sucesso ou fracasso de seu dia. Infelizmente, com frequência, pessoas tipo Um me revelam que não conseguem viver à altura dos padrões que definiram para si mesmas, e o potencial de melhorar tudo as segue como uma sombra.

Meu coração se enche de respeito e carinho pelas pessoas tipo Um. Quando carregam esse manto de medo e expectativas pela idade adulta, a vida pode ser muito exigente. No relacionamento com o Um, a honestidade é essencial, mas dizer que ele é bom de maneiras que ele consiga ouvir é o maior dos presentes. Faça isso com a maior frequência que puder, de todas as maneiras que puder.

Estresse e segurança

Em seus melhores dias, quando o Um se encontra em um espaço saudável nos relacionamentos, fica relaxado, charmoso e divertido. O Um sempre cuida dos detalhes, por isso faz um bom trabalho em tudo aquilo que considera importante. E quando está em seu melhor momento, pode até abrir espaço para diferenças de opinião quanto ao que constitui um "bom trabalho".

Quando o Um está abaixo da média na esfera emocional, torna-se argumentador e irredutível. Tem muitas expectativas e, quando elas não são cumpridas, o ressentimento vem logo em seguida. Torna-se exigente e imprevisível. Assim, nossos esforços de agradá-lo costumam falhar. Tais comportamentos representam excesso de traços tipo Um e isso nunca é bom. Todos temos dificuldades quando estamos do lado de baixo do comportamento médio de nosso número. Por isso, a fim de respeitar nossos relacionamentos, todos precisamos vigiar contra modos de agir que exageram as coisas que parecem importantes do nosso ponto de vista, mas acabam causando separação entre nós e aqueles com quem nos importamos.

Quando o Um sofre muito estresse, começa a atribuir valor moral aos erros. Se alguém descumpre um prazo ou se esquece de uma reunião, as coisas podem ganhar grandes dimensões. A princípio, o Um pode rotular o colega de trabalho de preguiçoso ou indiferente, mas isso pode se deteriorar para rótulos como inútil ou "não presta". Rótulos assim ferem e podem danificar ou até mudar permanentemente um relacionamento. Não se esqueça de que esse comportamento provém diretamente da maneira com que o Um se deprecia quando erra ou não cumpre um prazo e, por isso, acaba fazendo o mesmo com os outros. Mas as outras pessoas não falam consigo mesmas dessa forma abusiva, então têm dificuldade de tolerar esse tipo de comportamento.

A resposta natural do Um em situações de estresse é focar-se no que pode aperfeiçoar. Tenho uma boa amiga tipo Um que diz: "Quando o mundo está infernal, vou limpar meu banheiro".

Felizmente, o Eneagrama mostra os movimentos intuitivos em direção a outros números que podem nos resguardar da dor e do sofrimento, ao mesmo tempo que ajudam a proteger nossos relacionamentos. Em tempos de estresse, o Um migra para o Quatro, em cujo espaço consegue entrar em contato com uma maneira diferente de vivenciar e expressar seus sentimentos. Com a energia do Quatro, ele não precisa aceitar a ideia de que é uma pessoa ruim, corrupta, preguiçosa ou burra (alguns dos rótulos que o Um reserva para si). Em vez disso, pode se conectar com sentimentos que não necessitam ser consertados. Isso é bom — o crítico não consegue gritar tanto em relação a sentimentos, assim o Um tem um alívio. Consegue se recompor e voltar a interagir com o mundo de maneira bem mais saudável.

Quando o Um se sente seguro, tem acesso à energia e ao comportamento do Sete e isso lhe permite relaxar um pouco. Consegue enxergar a vida, o trabalho e os relacionamentos com menos julgamento, mais aceitação e paz. E se permite um pouco de diversão.

Meu pai era tipo Um e minha mãe, tipo Cinco. Quando me adotaram, parece que já haviam trabalhado para resolver as muitas diferenças em suas formas de ver o mundo. Eles se adoravam. Parecia para mim que se divertiam tanto quanto trabalhavam, mas, nos momentos de trabalho, levavam a sério os resultados. Minha mãe costumava dizer: "Quando seu pai erra algo, isso parte o coração dele. Mas quando acerta, tudo vai bem em seu mundo".

Limitações nos relacionamentos

Quem é Um tem a tendência de exagerar o esforço de fazer as coisas direito — pensa demais, fala demais, avalia demais e planeja demais. A tendência ao exagero se deve a um desejo honesto e profundo de fazer tudo certo. As pessoas tipo

Um são extraordinariamente responsáveis, mas quando assumem responsabilidades excessivas para si e para os outros, podem acabar sentindo certa raiva e ressentimento. Por isso, é muito importante que o Um reduza a tentação de fazer coisas demais ao parar e se perguntar: "Que tarefas cabem a mim realizar?".

A maioria de nós não é tão observadora quanto o Um. Ele presta atenção a si mesmo, aos outros e ao ambiente. Esse tipo de consciência pode ser um dom para todos, mas também tem a possibilidade de se tornar limitador. Lembre-se: o Um é o único número do Eneagrama que acredita de fato que cada passo da tarefa deve ser feito de forma correta; por isso, precisa tomar cuidado a fim de que os padrões elevados que define para si não se transformem em expectativas desproporcionais para os outros. O Um também precisa aprender a reconhecer quando as coisas estão boas o suficiente e deixar assim.

Com frequência, incentivo quem é Um a prestar atenção aos momentos em que leva as coisas a sério

O UM E OS OUTROS

Um: O Um em relacionamento com outras pessoas de mesmo tipo vivencia entendimento. No entanto, a insatisfação perpétua abre portas para usar o aperfeiçoamento como unidade de medida na maioria dos aspectos do relacionamento. A verdade é que algumas coisas já estão boas assim como estão.

Dois: O Um e o Dois reagem à vida de forma distinta. O Um é prático, ao passo que o Dois é relacional. O Um tende a achar que o Dois não consegue se manter focado, ao passo que o Dois acha o Um rígido demais. Ambos, porém, precisam cultivar a arte de ceder.

Três: Tanto o Um quanto o Três querem realizar as coisas e ambos desejam dar seu melhor. Mas o Três pula etapas, enquanto o Um acredita que cada passo da tarefa deve ser feito de forma correta. Quem é Um precisa tomar cuidado para não julgar os caminhos diferentes usados para chegar ao mesmo objetivo.

Quatro: As necessidades emocionais do Um costumam ser reprimidas. Por isso, ele pode aprender com o Quatro como se concentrar nos sentimentos, em vez de cair em um padrão de pensamento dualista. E o Quatro pode se beneficiar da habilidade do Um de se manter focado e fazer as coisas até o fim. Esse relacionamento pode ser vantajoso para ambos.

Cinco: Ao se relacionar com uma pessoa tipo Cinco, o Um precisa abrir mão do conceito de que silêncio significa julgamento. O Cinco fica em silêncio na maior parte do tempo e raramente, ou mesmo nunca, está julgando. Quem é Um precisa evitar pressupostos acerca do que os outros estão pensando.

Seis: Assim como o Dois e o Seis, o Um responde ao que estiver acontecendo a sua frente, em parte porque sua reação inicial é *fazer* algo. O Um precisa manter em mente que seu jeito não é o único jeito certo.

Sete: O Sete precisa da disciplina do Um e o Um necessita da flexibilidade e espontaneidade do Sete. Com certa consciência, os dois podem formar um bom time.

Oito: Tanto o Oito quanto o Um são pensadores dualistas, do tipo "preto no branco". Ambos acham que estão certos na maior parte do tempo e têm a tendência de reagir sem pensar direito em todos os detalhes. O aspecto mais positivo é que o Um aprecia a liberdade do Oito, ao passo que o Oito admira a disciplina do Um.

Nove: O Um tem muito em comum com o Nove: ambos reprimem a raiva, muito embora por motivos diferentes. Ambos também gostam de ruminar sobre as decisões por bastante tempo, então tomem cuidado, pois alguém precisará partir para a ação quando chegar o momento.

demais. Quando o Um se torna excessivamente rígido em relação a muitas coisas — reflexivos ou conscientes em excesso — pode ser duro para os outros e para si mesmo, pois fica difícil ter leveza, mesmo quando ele sente que deveria.

O caminho juntos

Certo domingo de Páscoa, há alguns anos, nossos quatro filhos e netos foram conosco à igreja que meu marido Joe pastoreia. Por algum motivo, todos os netos queriam sentar do meu lado — talvez por saber que o culto de Páscoa demora mais que a maioria e eu quase sempre levo balas na bolsa. Era um dia quente em Dallas e eu estava vestindo um *blazer* de linho em tom pastel, que, no final da manhã, já estava bem amassado.

Joe estava começando a pregar quando meu neto Noah, com oito anos de idade na ocasião, me puxou pelo braço e sussurrou:

— Vovó, seu ferro está quebrado?

— Não, querido. Por quê?

— Porque o seu *blazer* está horroroso! Por que você não passou?

Amo meus sete netos com o coração cheio de esperança de que, de alguma forma, meu trabalho com o Eneagrama torne o mundo deles melhor. Não tenho certeza quanto ao número de cada um, mas já me sinto bastante convicta em dizer que Noah é tipo Um. Respondi delicadamente:

— Ah, você está falando dos amassados? Esse *blazer* é de linho e linho sempre amassa. Mas todo mundo sabe como é, então tudo bem.

Ele ficou em silêncio por alguns minutos, então me cutucou de novo e disse:

— Aposto que o vovô está bem constrangido. Não está bonito, vovó!

Ainda sussurrando, expliquei que Joe não estava constrangido e que Noah deveria ficar em silêncio e tentar ouvir. Concentrei minha atenção no púlpito, na esperança de que Noah fizesse o mesmo, mas ele simplesmente não conseguia tirar os olhos de mim e de meu *blazer* amarrotado. Finalmente, ele se levantou para se sentar no outro extremo do banco. Deve ter pensado que era o único lugar no qual conseguiria encontrar paz.

Talvez a lição nessa história para quem é Um seja: se você não consegue suportar o que está olhando, pode ser útil mudar de lugar.

Mas a lição para todos nós que amamos pessoas tipo Um é lembrá-las de ser gentis consigo mesmas — simplesmente porque essa é a coisa *certa* a se fazer.

RELACIONAMENTOS *para* o UM

Depois de tudo que foi dito e feito...

Talvez mais do que qualquer outro número, o Um luta para aceitar a realidade de que há coisas que precisam ser aceitas da maneira que são. Seguem algumas outras coisas que o Um deve manter na lembrança:

Você pode...

- ter pessoas em sua vida que entendem você — outras pessoas tipo Um ou gente que entende o seu tipo.
- ser generoso quando as pessoas não fazem as coisas como você acha que elas deveriam ser feitas.
- buscar a perfeição, mas não alcançá-la. A perfeição é passageira: uma coisa muda e tudo muda junto.
- fazer todo o esforço para deixar as coisas melhores do que encontrou, mas não sozinho.

Mas você não pode...

- ter paz interior se continuar a se comprometer com um conjunto de padrões internos cada vez mais exigentes para si mesmo.
- mensurar de forma precisa sua bondade e seu valor com base no falatório constante do crítico interior.
- viver em um mundo no qual todos se atentam aos detalhes da mesma forma que você.
- mudar o modo como os outros enxergam as coisas.
- esperar que pessoas de outros números alcancem a perfeição de acordo com sua definição. Não é uma mera questão de preferência; é o jeito deles de ver o mundo, a despeito do que você faça ou diga.

Por isso, você precisa aceitar que...

- o seu jeito não é o único jeito certo.
- algumas coisas — talvez muitas — já estão boas o bastante.
- você precisa parar de trabalhar para que você e os outros possam descansar.
- você é bom — *de verdade* — do jeitinho que você é.

RELACIONAMENTOS *com* o UM

Uma vez que o Um costuma duvidar de seu próprio valor e merecimento, ele necessita ouvir e acreditar que é bom e amado. Em alguns aspectos, a voz crítica interna que ele carrega também faz parte do relacionamento. Seguem algumas outras maneiras de cultivar seu relacionamento com pessoas tipo Um:

- O Um tende a criticar mais do que elogiar, então é provável que ele comente mais o que você fez de errado do que seus acertos. Ensine-lhe que, em geral, elogios funcionam melhor para você.
- Esforce-se para evitar que o Um sinta ser necessário provar para você que ele é bom ou que está fazendo a coisa certa.
- Seja cuidadoso e gentil ao chamar atenção para os erros dele. O Um pode facilmente se sentir sobrecarregado se você for direto demais.
- Admita os seus erros no relacionamento.
- Valorize a diligência do Um e respeite seus padrões elevados, sem ser enredado por eles. As duas características representam o jeito dele de ver o mundo, não o seu.
- O Um aprecia igualdade. Ele trabalha duro e espera o mesmo de sua parte.
- O Um precisa que você seja leal e confiável, pois ele é assim.
- Quando entrar em conflito com o Um, deixe claro que você quer resolver. Ele precisa ouvir que você está comprometido em solucionar a questão.
- O Um gosta de ser apreciado por todos seus esforços, então tende a gostar de cartões, bilhetes, elogios e pequenos presentes.
- O Um gosta de ordem, então ajuda se você respeitar isso nos ambientes que divide com ele.
- Tome cuidado com gracejos e brincadeiras. O Um é muito sensível até à menor das críticas.
- Apoie férias e momentos afastados do trabalho e das responsabilidades. Incentive períodos tranquilos em casa e ajude-o a processar verbalmente o dia.
- Quando surge uma briga, em geral ela diz respeito à maneira que o Um enxerga o mundo, não a você. Nesses momentos, a única coisa que você pode fazer é esperar algo mudar — dentro dele ou na situação.

— Tipo 2 —

Seus sentimentos ou os meus?

Há alguns anos, tive um diálogo com Hunter, cuja vocação é uma combinação surpreendente de pastor em tempo integral e advogado por meio período. Assim como eu, Hunter é tipo Dois, então nossa conversa logo passou a girar em torno do que mais gostamos em ser Dois. Ele começou:

— Bem, no Direito, sempre estamos em busca daquela informação que a pessoa não lhe contou. Toda vez que chega um cliente ao escritório, há um grande fato oculto que ele não joga na mesa. Então é preciso tentar intuir o que não é compartilhado. Ao mesmo tempo que se ouve o que a pessoa está dizendo, é preciso discernir o que ela deixa de fora.

Sem dúvida, esse é um território familiar para mim, então perguntei:

— Como funciona essa mesma habilidade em seu ministério pastoral?

Após uma pausa, Hunter admitiu que é complicado. Por um lado, ser relacional e voltado para ajudar os outros lhe confere talentos singulares como pastor. Em contrapartida, porém, o Dois tem terrível dificuldade de estabelecer limites e pode acabar "enredado na vida das pessoas de formas que não ajudam nem elas, nem a si mesmo".

Mas Hunter confessou:

— Outra coisa que eu destacaria é que ser pastor pode ser uma função bem solitária. Falta mutualidade. Para o Dois, o relacionamento sempre diz respeito ao outro. Você não pode dizer o que quer ou sente, pois isso causaria uma desconexão.

Então prosseguiu descrevendo o isolamento que sente no trabalho, com um envolvimento tamanho no auxílio aos outros que acaba se perdendo.

— É muito difícil saber quem sou quando estou sozinho. Quero reações de outras pessoas, mostrando que me apreciam, mas não sinto desejo de pedir, e quando recebo elogios não faço ideia de como lidar com a situação. Por isso, o momento mais complicado de meu trabalho semanal como pastor são os vinte minutos posteriores à pregação de um sermão. Após o culto, eu quero desesperadamente que se forme uma fila para ouvir as pessoas dizerem: "Foi o melhor sermão que já ouvi!", mas, quando isso acontece, não consigo acreditar que é verdade. Então não posso dizer que de fato gosto desse tipo de reação. É como algo de que preciso, mas que não sei saborear. Necessito que as pessoas elogiem a mim e meu trabalho, mas não sei receber as palavras de afirmação, de modo que aprendi a me desviar. Simplesmente redireciono a conversa para falar da outra pessoa, não de mim.

O que está acontecendo?

Quando ouve a história de outras pessoas, você se pergunta o que elas estão deixando de fora?

O impulso de Hunter de pressentir as necessidades e os desejos dos outros e reagir a eles lhe parece familiar?

Você acha que Hunter acredita que dizer o que ele quer, sente ou do que precisa causará desconexão entre ele e a outra pessoa?

Você confia nos elogios assim que são feitos a você? Por que sim ou por que não?

As pessoas tipo Dois leem o mundo com os sentimentos. Elas se conectam com os outros inferindo o que eles sentem e reagem fazendo algo. Expressam emoções com tamanha facilidade que você pode pensar que aqueles são os sentimentos delas, mas raramente é o caso. O Dois sente as emoções dos outros e acha muito difícil verbalizar o que *ele* de fato está sentindo. Essa é uma verdade dura com vários desdobramentos para um relacionamento com alguém tipo Dois.

O mundo do Dois

Para o Dois, tudo é relacional. Ele encontra seu caminho no mundo se conectando praticamente com todas as pessoas com quem depara e cultivando um relacionamento com todos com quem convive de forma regular ou semirregular. É assim que o Dois consegue conhecer a si mesmo. Eu tinha cerca de cinquenta anos quando comecei a me apresentar como "Suzanne Stabile", sem recorrer a relacionamentos, como, por exemplo: "Sou esposa de Joe", "Sou a filha adotiva de Doc e Sue", "Sou mãe de Joel" ou "Sou avó de Will".

O Dois não sabe quem é, a menos que obtenha essa informação de outra pessoa. Certa pessoa tipo Dois contou:

Quando vou a um retiro de silêncio, eu literalmente não consigo pensar em nada além de meus relacionamentos com meu esposo, os filhos, as amigas e colegas. Quando eu oro, oro por outras pessoas. Quando leio, penso em como aquilo que estou lendo será útil para outra pessoa. Com um foco tão grande nos outros, sobra pouca energia para me conhecer, por isso as perguntas mais difíceis que podem me fazer são: "O que você quer?" e "O que você está sentindo?". Eu literalmente não sei as respostas porque, muito embora eu pareça conectada aos sentimentos, assim como a maioria das pessoas tipo Dois, eu raramente conheço ou expresso os meus próprios.

Orgulho. O Dois acredita que é responsável por todos de uma maneira ou de outra e se orgulha de satisfazer as necessidades alheias. Essa é a paixão (ou o pecado) do Dois. Em nossa conversa, Hunter disse: "Lembro-me, na infância, de me sentir absolutamente desolado se alguém não gostasse de mim. Esse é o orgulho de ser o melhor, o mais útil e o mais amado". Don Riso e Russ Hudson definem o pecado do orgulho encontrado no Dois como "a incapacidade ou indisposição de reconhecer as próprias necessidades e sofrer enquanto atende as necessidades de outra pessoa".[1] Essa incapacidade de identificar as próprias necessidades enquanto navega pelo mundo causa muita dor ao Dois.

É necessário muito trabalho pessoal para mudar esse padrão por dois motivos bem importantes. O primeiro é que, em geral, o Dois não se considera *digno* de precisar da ajuda de ninguém. O segundo é um pouco mais complexo: o Dois tem medo de expressar uma necessidade ou desejo, porque, se ninguém responder, sente que não conseguirá administrar a dor e a decepção. Mas os relacionamentos precisam ter reciprocidade, por isso o Dois deve aprender a pedir de forma direta aquilo que quer ou de que necessita, além de cultivar a graça de saber receber. Quando isso não acontece, o Dois costuma recorrer à manipulação. Suas conexões com os outros assumem uma qualidade desonesta que não é satisfatória para ninguém. Dizer: "Eu queria tanto não precisar fazer o jantar hoje à noite..." não é o mesmo que "Que tal sairmos para jantar fora hoje? Estou cansada, sem vontade de cozinhar".

Dá para entender por que esse dom para a manipulação pode levar o Dois a se enxergar como mártir. E esse tipo de manipulação e martírio é acompanhado de raiva, em vista das expectativas não atendidas e da sensação de não estar recebendo o devido valor. Nada disso, porém, é necessário. O Dois saudável sabe identificar aquilo de que precisa e pedir aos outros.

A vulnerabilidade da generosidade. Por ser Dois, tenho bastante prática em me doar. Ao longo dos anos, ao fazer o esforço honesto de examinar o altruísmo de minha generosidade, descobri que me colocar na posição de *doadora* costuma equivaler a um lugar de força. Mas há uma vulnerabilidade na prática da generosidade que pega o Dois de surpresa nos momentos mais inesperados.

Quando o desejo de doar se multiplica em excesso, limitações começam a aparecer e o Dois luta para cumprir os compromissos que faz com os outros. É rápido em se voluntariar, mas a satisfação de se doar se desgasta quando as expectativas dos outros superam a gratidão que o Dois recebe. Após começar um relacionamento com alguém, o Dois luta para se desengajar. É um dilema constante para ele.

A outra pessoa, que recebeu farta atenção do Dois por um tempo, costuma se sentir muito confusa quando, de repente, o amigo se torna um tanto quanto distante e indisponível. Da perspectiva do Dois, ele se doa até se esvaziar e então volta para a própria vida, cansado e sem energia para cuidar de si. Sente que não é apreciado, que as pessoas não lhe dão o devido valor, sente cansaço e medo. Teme, em primeiro lugar, porque seu valor próprio é determinado pelo ato de doar. Quando

2

Com frequência, o Dois presume que os outros necessitam de seu auxílio e de sua proteção.

não tem mais nada a oferecer, luta para saber se lhes resta algum valor.

O problema é que o Dois tenta desenvolver um relacionamento com o mundo inteiro — garçons no restaurante, a mulher do *pet shop*, o encanador, todos da igreja, todos os colegas de trabalho, os vizinhos — e alguns desses relacionamentos não são ou não podem ser apropriados, ou saudáveis, ou recíprocos. Quando o Dois começa a descrever seus sentimentos com palavras como esgotado, ressentido, cansado e frustrado, essa costuma ser sua maneira de pedir ajuda.

Desconexão do pensamento produtivo. O Dois encontra seu caminho lendo os sentimentos dos outros e então fazendo algo em resposta. Não pensa sobre o que está vivenciando, por isso a falta de pensamentos produtivos em situações e relacionamentos só se revela quando o Dois sofre uma parada total. A interação satisfatória entre sentir e fazer tem um ritmo tão confortável para o Dois que ele não percebe o preço de fazer demais, doar demais, se relacionar demais e pensar de menos. Quando o Dois sente bastante ansiedade e fadiga, costuma ser sinal de que precisa parar, pensar em tudo em que se encontra envolvido, discernir o que lhe compete fazer, delegar de maneira apropriada as tarefas que não são função dele e pensar no que está acontecendo, em vez de continuar a reagir emocionalmente com base no desejo automático de identificar e atender as necessidades dos outros.

> **2**
>
> O Dois se sente mais confortável com afeto do que qualquer outro número do Eneagrama.

Há vários anos, estava ensinando um grupo grande de estudiosos do Eneagrama em um evento com o padre Richard Rohr, em Assis, na Itália. A palestra estava indo bem, mas logo no início notei um homem de expressão ranzinza sentado do meio para trás no auditório. Toda vez que eu o olhava — e não conseguia evitar — ele estava de cara fechada ou sem expressão alguma. Isso não acontece muito comigo quando estou palestrando, então isso me distraiu e fiquei me perguntando por que ele não estava gostando do que eu tinha a dizer.

> Nossas paixões do Eneagrama nos ensinam lições que precisamos aprender.

Os outros participantes pareciam sintonizados, desfrutando minha apresentação; por isso, cheguei à conclusão de que o homem não falava inglês. Com o passar do tempo, comecei a lamentar por ele, preso no meio de uma fileira durante uma palestra, sem compreender o que era dito.

No intervalo, eu me apressei em meio ao público para alcançá-lo. Quando cheguei até ele, gritei da maneira que costumamos fazer com alguém que não fala a mesma língua: a plenos pulmões, da maneira mais incômoda possível. Fazendo sinal de fone de ouvido com as mãos, eu disse:

— Eles têm tradutores. Alemão! Francês!

Ele me olhou bem nos olhos e disse:

— Sei falar inglês.

Fiquei tão surpresa.

— Então por que você não esboçou reação alguma enquanto eu falava? Você não riu, não fez graça, nem sequer olhou para o outro lado.

— Bem, eu não gosto de você e não gosto do que você estava dizendo.

Em um momento Dois típico, perguntei:

— Por quê?

Sem qualquer sentimento, com a mesma feição e o mesmo tom indiferente, ele respondeu:

— Não gosto de nada em você.

Chocada com a grosseria, me virei e fui direto para o lado do padre Richard, que havia escutado a conversa inteira. Ele me olhou cheio de compaixão e disse:

— Suzanne, você continua indo atrás de um por um.

Então, com a mão virada para cima, completou:

— Você tem duzentas pessoas na palma da mão. Por que está ignorando todas as outras e se concentrando nele?

É claro que o padre Richard estava certo. Fiquei cega pelo sentimento de rejeição daquele indivíduo e não parei para pensar no auditório lotado de pessoas envolvidas na palestra. Cedi todo meu poder para aquele único homem descontente. Muitas vezes, o Dois corre atrás da pessoa que ele não tem, arriscando seus relacionamentos com os outros nesse processo.

A fim de evitar a sensação inata de solidão, o Dois tende a se esquivar de perguntas do tipo: A quem eu pertenço? Sou digno de pertencer a alguém? Terei alguém com quem contar quando estiver realmente precisando? Assim que essas questões vêm à tona, a reação do Dois costuma ser acobertar a solidão redobrando os esforços para ajudar. Infelizmente, isso equivale a presumir que a outra pessoa sempre está carente.

A verdade é que sou um banco de relacionamentos e favores. E, na maior parte do tempo, faço isso de maneira inconsciente. Este ano, eu me permiti refletir: "O que está disponível para mim que não estou sacando do meu banco emocional?". Para minha surpresa, havia bastante à disposição.

O Dois tem dificuldade de confiar nas pessoas quando elas dizem: "Eu nunca vou deixar você" ou "Pode contar comigo a qualquer momento que precisar". Eu sempre pensava:

"Ah, sei lá. Talvez você me apoie...". Lá no íntimo, porém, lutava para acreditar que sou digna disso. Tudo que posso dizer com certeza é que aprendi que sou muito menos solitária do que eu suspeitava.

É provável que o Dois tenha conexões mais profundas e em maior quantidade com as pessoas do que os outros números tendem a ter, mas ainda assim isso não parece satisfazê-lo. Por isso estou aprendendo que, se palavras de afirmação não estão funcionando, é porque, na verdade, não estou em busca de afirmação, mas, sim, de pertencimento. E o passo seguinte é acreditar que posso confiar no pertencimento disponível para mim.

O Dois necessita buscar felicidade de dentro para fora, em vez de esperar que venha de algum lugar ou alguém exterior a si. O Dois é excelente em oferecer um lugar de pertencimento aos outros, mas não a si mesmo. Relacionamentos saudáveis demandam um conceito forte de si mesmo quando se está sozinho. Se o Dois perguntar: "Quem sou eu quando estou sozinho?", ficará surpreso com o que

O DOIS E OS OUTROS

Um: Uma vez que o Dois sempre coloca os relacionamentos à frente das estratégias, encontra certa dificuldade com as pessoas tipo Um. Mas o Dois com asa Um é capaz de apreciar o respeito pela ordem. Esse terreno em comum é o ponto de partida.

Dois: Quando duas pessoas tipo Dois se juntam, têm dificuldade de saber quem será o líder, quando e como. O Dois encontra seu ponto de referência nos outros, então o foco pode ser colocado em outras pessoas fora do relacionamento, com necessidades a ser atendidas.

Três: Tanto o Dois quanto o Três se importam com sua imagem, por isso a percepção de como são vistos pode determinar suas escolhas. Contudo, o Dois deseja que o outro o queira, ao passo que o Três quer ser amado por quem ele é, não meramente pelo que faz. As expressões dessas vontades podem ser confusas. Por isso, nesse relacionamento, apreciem o companheirismo, mas respeitem as diferenças.

Quatro e Oito: O Dois lida bem com as pessoas tipo Quatro e Oito, mesmo que se sinta um pouco desconfortável em volta deles. O Quatro e o Oito são autênticos, algo de que o Dois necessita.

Cinco: O Dois tem menos facilidade nesse relacionamento, porque o

Cinco prefere guardar para si seus pensamentos, planos e ideias. O Dois precisa esperar o Cinco se sentir pronto para compartilhar informações sobre a própria vida.

Seis: O Seis fóbico tem medo de qualquer coisa tangível e o Dois, em geral, é ansioso em relação aos relacionamentos, inventando coisas que não estão acontecendo e se preocupando em relação ao que pode acontecer para ameaçá-lo. O Seis contrafóbico tem coragem e medo ao mesmo tempo, algo difícil para o Dois processar. O Dois pode ter medo e coragem, mas não ao mesmo tempo. O Seis ensina e aprende por meio de perguntas, por isso se sente respeitado quando o Dois responde a suas dúvidas com espírito generoso.

Sete: É normal o Dois se sentir meio inseguro perto do Sete. O Sete pode parecer não notar o Dois e suas necessidades, enquanto cuida da grande variedade de atividades que administra todos os dias. O Dois precisa praticar a verbalização daquilo que quer e necessita — será bom para ambos.

Nove: O Nove é muito semelhante ao Dois. Define-se em função do outro e não gosta de conflito, mas também é avesso a fazer, de modo que o Dois necessita ter paciência com a aparente falta de energia. O Dois tem energia de sobra para tudo que diz respeito a pessoas, por isso precisa respeitar essa diferença.

descobrirá. Sim, o Dois quer garantir que todos tenham lugar à mesa, mas precisa prestar atenção ao fato de que também necessita se sentar.

Estresse e segurança

Quando o Dois está em um espaço saudável, é generoso, mas também brincalhão e cuidadoso. Deixa os outros confortáveis, percebe quando as pessoas estão se sentindo excluídas ou marginalizadas de alguma forma e costuma encontrar maneiras de encontrá-lo onde você está. É receptivo e raramente adere ao pensamento e comportamento que faz separação entre quem encontra seu lugar e quem fica de fora.

Quando preso a um padrão de reações prejudiciais, o Dois se torna controlador, possessivo e inseguro. O ciúme passa a ser um problema quando teme perder a atenção e o afeto de alguém que ama. Um dos meus alunos tipo Dois explicou: "Quando entro nesse padrão nocivo de comportamento, eu me envolvo ou em excesso ou menos do que o necessário — ou me intrometo e sou mandão, ou afasto as pessoas. Acho que isso acontece porque às vezes não sei lidar com as pessoas em um espaço positivo, saudável e interdependente".

Quando o Dois começa a se sentir separado dos outros, cria circunstâncias para se fazer necessário. Se você está em um relacionamento com alguém tipo Dois, uma dica para saber quando ele está estressado é o momento em que começa a reclamar da saúde. Os sentimentos reprimidos podem chegar a causar sintomas físicos, e então eles puxam os outros para perto com autocomiseração. A verdade é que o Dois ofendido pode alterar o humor de um grupo inteiro sem dizer uma palavra. Suspeito que seja daí que surgiu aquele ideia popular de que "Se mamãe não está feliz, ninguém está feliz".

Em períodos de estresse, o Dois migra para o Oito, o que significa mais autoconfiança e menos preocupação com o que os outros pensam. Descobre que pode dizer não a coisas que não lhe compete fazer, tem mais paciência com o processo e com diferenças pessoais. Quando o Dois se sente seguro, tem acesso a parte da energia, consciência e conduta do Quatro, conseguindo aceitar os próprios sentimentos. Pode até ser capaz de admitir que, na verdade, ele *não* ama todas as pessoas. Nesse lugar de segurança, descobre um senso de valor próprio que não está ligado a ajudar os outros e consegue voltar o foco para dentro em algumas ocasiões. É um movimento bom e necessário rumo a um maior cuidado consigo mesmo.

Limitações nos relacionamentos

Talvez o principal limitador nos relacionamentos do Dois seja o fato de que ele se envolve em

2

O Dois tem um desejo tão forte de conexão que pode acabar se aproximando demais e assustando os outros.

relacionamentos demais. Isso causa uma série de problemas, pois não tem tempo, nem energia para dedicar a todas as pessoas em sua vida. Por isso, acaba precisando se desculpar por situações que não são culpa de ninguém. O mais irônico é que as pessoas que o Dois mais ama ficam com as sobras. O Dois confia que seus relacionamentos mais íntimos sempre estarão disponíveis e, por isso, não dedica a eles o mesmo tempo e atenção. O Dois se doa demais para os outros e, com isso, a própria vida acaba parecendo cansativa, vazia e negligenciada. Resta muito pouco tempo ou energia mínima para cuidar de si.

> Você não consegue cuidar de si mesmo sem o número ao qual recorre em estresse.

O Dois presume que qualquer problema no relacionamento é culpa dele. Demora a sair dos relacionamentos e, em geral, cai na armadilha de crer que pode fazer um compromisso grande o suficiente para fazer o papel dos dois lados. Mas isso é impossível. Às vezes, é saudável encerrar um relacionamento. O Dois, porém, precisa aceitar que não se sentirá bem com isso, mesmo que os benefícios de cortar relações com alguém pareçam óbvios.

O caminho juntos

Quando Andy Andrews faleceu, as pessoas enviaram muitas cartas e cartões para seu filho, contando experiências e lembranças que tinham dele. Certa mulher compartilhou um relato que ocorrera trinta anos antes, quando ela e o marido visitaram Andy em sua casa, na Carolina do Norte.

> Após o café da manhã, seu pai perguntou se queríamos ir ao jardim ver os pés de mirtilo. Era uma manhã quente de verão e, no

caminho, passamos por uma linda fonte. Andy me chamou para ver. Água descia por algumas pedras e então caía em uma pedra maior em formato de bacia, formando uma pequena piscina. Daí seguia para uma piscina maior na base.

Nas extremidades da piscina menor havia abelhas da colmeia que seu pai tinha. Ele me disse: "Você sabe que dá para fazer carinho nas abelhas enquanto elas tomam água? E é grande a probabilidade de que elas não ferroem!". Eu achei que ele estivesse brincando, mas então caminhou até elas e começou a acariciar as costas peludas das abelhas. E elas continuaram a tomar água.

Ao voltar para casa naquela noite, disse para meu marido: "Que tipo de homem faz carinho em abelhas?".

Por anos, não encontrei resposta. Mas agora temos um terreno e nossa própria colmeia. Quando fiquei sabendo do falecimento de seu pai, a resposta a minha dúvida ficou clara: um homem que faz carinho em abelhas é um homem que acredita que vale a pena correr o risco de uma ferroada em busca da possibilidade de conexão.

Essa possibilidade é a motivação primária do Dois, então é um desafio que dura a vida inteira aceitar que nem toda conexão se destina a tornar-se um relacionamento.

RELACIONAMENTOS *para* o DOIS

Depois de tudo que foi dito e feito...

Vivemos em uma cultura rica com ilusão de controle. Sentimos que, com certo esforço, podemos fazer as coisas serem do jeito que queremos. Mas o Dois precisa aprender a dar liberdade de escolha para os outros e deixar então que sofram ou celebrem as consequências.

Eis algumas outras coisas para o Dois manter na lembrança:

Você pode...

- aprender a aceitar que relacionamentos saudáveis são recíprocos e a valorizar tanto dar quanto receber.
- aprender a atender suas necessidades de dentro para fora, em lugar de procurar satisfação de fora para dentro.
- aprender a se comprometer com menos relacionamentos e desfrutá-los mais.

Mas você não pode...

- esperar que pessoas de outros números do Eneagrama pressintam e atendam suas necessidades antes de você mencioná-las.
- ter relacionamentos saudáveis com mais pessoas do que consegue acomodar na vida. Todo sim dito em um relacionamento representa um não em outro.
- desfrutar paz duradoura até descobrir que é capaz de identificar e cuidar de seus próprios sentimentos e de muitas de suas próprias necessidades. Isso não ameaça seus relacionamentos, apenas os torna melhores.
- encontrar a segurança que você procura nos relacionamentos até aprender a encontrar satisfação em fazer coisas de forma independente.

Por isso, você precisa aceitar que...

- as outras pessoas satisfarão do jeito delas as necessidades que você tem. Pode não ser da maneira que você faria, mas é tão bom quanto.
- você é muito amado.
- você merece ser amado e sua presença é desejada.

RELACIONAMENTOS *com* o DOIS

O Dois é muito perceptivo em relação ao que outras pessoas querem ou necessitam dele. Ao mesmo tempo, costuma viver desconectado do que ele mesmo necessita e quer dos outros. O segredo para o relacionamento com o Dois é ajudar a criar uma ponte sobre essa lacuna. Seguem mais algumas coisas para manter em mente:

- O Dois fica ansioso quando reconhece que está sentindo as próprias emoções. Não sabe como agir em defesa própria.
- Tente ajudar o Dois a encontrar uma forma de partilhar com você o que ele está sinceramente sentindo.
- O Dois só processa as coisas de maneira verbal. Ele não *pensa* em todo o processo, mas vai *conversando* para entendê-lo. É possível evitar muita incompreensão ao manter isso em mente.
- Não confie na resposta quando ele disser que está bem. Insista um pouco mais.
- O Dois quer receber *feedback* honesto, mas leva tudo para o lado pessoal. Então, se você disser: "Não gosto da sua receita de espaguete", ele ouve: "Não gosto de você". Você não precisa lembrá-lo de que não é uma questão pessoal; ele sabe disso e está tentando superar essa forma de pensar.
- Em um relacionamento íntimo, o Dois precisa ouvi-lo dizer: "Estou aqui e não vou a lugar nenhum. Não há nada que você necessite *fazer*, não há nada que você precise *ser* e não há nada que você deva me ajudar a fazer. Eu o amo por quem você é".
- Incentive o Dois a deixar você lidar com os próprios sentimentos.
- O Dois precisa de um parceiro que demonstre afeto. Isso o enche de segurança.
- O Dois precisa de um parceiro que queira conhecer os amigos dele.
- Embora o Dois se contente em não ser o primeiro no comando, faça questão de reconhecer a contribuição dele.
- Tente ter paciência quando o Dois estiver preocupado demais por causa dos relacionamentos com outras pessoas. Sua impaciência com essa realidade só aumentará a insegurança dele.
- Raiva ou reações emocionais intensas demais costumam sinalizar necessidades não atendidas.

— Tipo 3 —
Ser todo mundo, menos eu mesmo

Jake, um colega meu, morreu inesperadamente aos quarenta anos de idade. Quando cheguei ao funeral, o estacionamento estava cheio e a igreja, lotada. Encontrei um lugar em uma fileira com algumas pessoas às quais já havia sido apresentada, mas que não conhecia muito bem. Assim que me acomodei, uma mulher se aproximou do púlpito para falar sobre seu relacionamento de longa data com o homem cuja vida estávamos ali para homenagear. Quanto mais ela falava, mais comecei a me perguntar se eu estava no funeral certo — até conferi o boletim para ter certeza — simplesmente porque não reconhecia a pessoa que ela estava descrevendo.

A pessoa seguinte contou algumas histórias sobre seu relacionamento com Jake e disse que sentiria muita saudade de seu espírito manso (algo que eu jamais havia vivenciado) e sua disponibilidade para ajudar sempre que podia (outra coisa que nunca acontecera em minha experiência). Mais dois oradores se seguiram e ambos descreveram uma pessoa que eu não conheci. No sepultamento e muitas vezes desde então, eu me perguntei como era possível Jake, de algum modo, ser todos aqueles homens que foram celebrados e recordados naquele dia.

A sabedoria do Eneagrama tem uma resposta simples.

O que está acontecendo?

Como alguém pôde ser visto e lembrado de formas tão diferentes por tantas pessoas?

> Você já passou por uma situação parecida? Por exemplo, uma conversa sobre alguém na qual você e o outro tinham opiniões absolutamente distintas?
>
> Os participantes de seu funeral teriam uma experiência semelhante à minha no funeral de Jake?

Quando analisamos essa história pela lente do Eneagrama, temos outro lembrete do quanto somos únicos em tipo de personalidade e como seres humanos. O Três tem o dom e o fardo de ser capaz de se adaptar a qualquer pessoa ou grupo. As pessoas desse tipo se esforçam muito para ser quem acham que você quer que elas sejam. Conseguem se adaptar rapidamente, mas só desempenham um papel de cada vez. Por isso, os relacionamentos casuais sofrem quando se encontram com pessoas de partes diferentes de sua vida ao mesmo tempo. Os relacionamentos pessoais sofrem porque elas não permitem que os outros saibam quem são, debaixo de toda a fachada do que conseguem realizar. E os relacionamentos íntimos são os que mais sofrem. As pessoas com quem o Três mais tem intimidade podem jamais ter a chance de conhecer quem ele verdadeiramente é. Por causa disso, o Três continua acreditando que é amado por aquilo que faz, em lugar de ser amado por quem ele é.

O mundo do Três

Muito embora o Três faça parte da tríade dos sentimentos, junto com os números Dois e Quatro, ele depressa substitui sentir por fazer e pensar. Às vezes, o Três tem dificuldade de ler os sentimentos dos outros, mas sua maior luta é ler os próprios sentimentos. Por vezes, o Três sabe o que está sentindo, mas não quer lidar com isso.

Para complicar ainda mais as coisas, o Três acha difícil distinguir seus sentimentos pessoais dos sentimentos que acompanham uma posição ou função. Agir é uma forma de controlar; então, desde muito novo, o Três decide controlar o ambiente fazendo as coisas. O Três realiza mais coisas em um dia do que praticamente todos os outros números do Eneagrama, com exceção do Oito.

O Três atrai pessoas, mas raramente é *pessoal*, até mesmo com os mais íntimos. Uma vez que o Três se sente reprimido e quer ter uma conduta adequada, às vezes estende uma aparência de sentimentos que não está vivenciando. Um professor universitário que se identifica com o tipo Três reconhece que muito daquilo que ele faz diz respeito à aparência: "Quero ser visto como alguém competente e capaz. Quero que as pessoas notem que eu faço a coisa certa, na hora certa e com sucesso". Infelizmente, os sentimentos se embaralham nesse impulso de gerenciar a própria imagem: "O que estou dizendo é que sou capaz de controlar o desempenho de sentimentos também. Não sou intencionalmente enganador e desprovido de autenticidade — simplesmente acontece". Mas o controle é uma ilusão, sobretudo nos relacionamentos. Com foco em fazer, o Três negligencia *ser* e acaba desconsiderando alguns dos elementos mais importantes em qualquer relacionamento: estar presente, ser quem você realmente é, estar com os outros e estar disponível.

> O Três é motivado pela competição.

O Três é apaixonado pelo futuro e por suas possibilidades: mais sucesso, mais conquistas e mais afirmação. Por isso, tem a necessidade imposta por ele mesmo e sempre mutável de criar a imagem mais apropriada a cada encontro, evento ou apresentação. Por essa razão, na maior parte das vezes, acha o que está acontecendo no presente uma distração e vê pouco valor em olhar para o passado. Em sua melhor condição, o Três é capaz de se metamorfosear ao que a situação exigir. Mas isso também pode ser verdade em seus piores momentos.

Recentemente, passei três dias trabalhando com um grupo avançado no Eneagrama, falando sobre equilíbrio, inclusive a tentativa de encontrar equilíbrio na vida com relação ao passado, presente e futuro. Na manhã de sábado, enquanto Amy, uma jovem Quatro, falava sobre o quanto ela gosta de olhar para o passado, até mesmo quando é doloroso, Larry, que é Um, respondeu:

> Existem características valiosas associadas a todos os números.

— É a única coisa que consigo fazer para administrar o que está acontecendo agora.

Uma mulher mais velha tipo Três bem forte parecia perplexa enquanto eles explicavam suas lutas com o tempo. Sua resposta foi:

— Mal consigo me identificar com o que vocês estão dizendo. Já é segunda-feira no meu mundo!

Em geral, o Três delimita boas fronteiras, mas não reconhece limites — nem para si, nem para os outros. Parece ter uma fonte inesgotável de energia, porém se sente cansado com frequência porque não sabe quando parar. Talvez seja por isso que pega tantos atalhos, inclusive nos relacionamentos. Embora essa abordagem funcione para relacionamentos com outras pessoas tipo Três, sem dúvida causa problema com outros números: com o Um que valoriza a perfeição, com o Dois que valoriza os relacionamentos e com o Seis que tem dificuldade com a falta de reflexão prévia do Três.

A maioria das pessoas tipo Três quer ser a estrela. Acredita que, se não vai ficar em primeiro lugar, nem deve participar da corrida. Se não puder liderar, não deve seguir os outros. Se não souber a resposta certa, é melhor ficar calado. E se não for capaz de causar uma boa impressão, então não cause impressão nenhuma.

Nossa neta Elle, que a meu ver parece uma pequena Três, teve uma experiência que lhe partiu o coração quando estava no primeiro ano do ensino fundamental. Pouco antes das férias de Natal, a bibliotecária leu uma história para sua turma. No livro, o Papai Noel era um personagem fictício. Ela esperou a professora terminar a leitura e então se levantou para defender a existência do Papai Noel. Ela disse à classe inteira que ninguém precisava se preocupar, pois aquela história não era sobre o Papai Noel *de verdade*. Os colegas de turma riram dela e pegaram no seu pé por ainda acreditar em Papai Noel.

Ela contou a história para o pai em lágrimas. Ele disse então que lamentava o fato de ela ter descoberto

O TRÊS E OS OUTROS

Um: Tanto o Três quanto o Um estão focados em fazer as coisas, mas o Três realiza pulando etapas, ao passo que o Um acredita que cada passo da tarefa deve ser feito de forma correta. Ajuda se o Três tiver paciência com o desejo do Um de conferir cada etapa e envolver-se até mesmo em uma breve conversa sobre o que foi realizado juntos.

Dois: O Três e o Dois podem ser muito eficientes juntos, tanto na esfera pessoal quanto na profissional, pois o Dois se foca nas pessoas, enquanto o Três se concentra na tarefa. Se houver respeito mútuo, podem ser complementares. O desafio para o Três é ser paciente com o processamento verbal e emocional do Dois.

Três: Quando um Três está junto com outro, tudo parece possível. Mas não é. Então é um dom quando você escolhe ser a voz de cautela.

Quatro: No relacionamento com alguém tipo Quatro, as emoções serão o gatilho. O Quatro valoriza excessivamente os sentimentos, ao passo que o Três não os valoriza o suficiente. Até o Três desenvolver uma asa Quatro, essa conexão será complicada.

Cinco: O Três e o Cinco têm grandes presentes para trocar se ambos estiverem abertos. O Três é impelido à ação. O Cinco precisa de mais reflexão. Um pode aprender com o outro.

Seis: O Três ama o sucesso, ao passo que o Seis não confia no sucesso. Acha falsa e desagradável a avidez do Três em causar boa impressão e demonstrar suas proezas. É preciso construir uma grande ponte para resolver essa desconexão, mas é possível. O Seis encontra satisfação em experiências em grupo não quais não precisa ser o líder. Uma vez que o Três partilha uma linha no Eneagrama com o Seis, ele necessita desse comportamento para vivenciar cura holística. Às vezes, a cura só acontece quando seguimos a liderança de outro.

Sete e Oito: O Três, o Sete e o Oito são todos muito fortes. Nenhum quer ser vulnerável. O Três provê, o Oito protege e o Sete evita. Os três números tendem a desconsiderar os sentimentos. São números que se dão bem, mas *todos* precisam se comprometer em fincar os dois pés na realidade.

Nove: O Três e o Nove se relacionam bem caso tenham um sistema de valores em comum. O Três tende a querer *fazer* as coisas acontecerem. O Nove se acomoda e *permite* que as coisas aconteçam. As duas atitudes são boas, dependendo da situação. Com frequência, o Nove necessita da energia e do direcionamento do Três, enquanto este precisa aprender com o Nove as vantagens de adiar uma ação.

a verdade sobre o Papai Noel na escola.

— Sei que deve ser difícil deixar de acreditar que Papai Noel existe. Mas vai ficar tudo bem. Mamãe e papai vão continuar lhe dando ótimos presentes.

Elle disparou:

— Não estou chorando por causa do Papai Noel! Estou chorando porque me senti um fracasso por ter acreditado que ele existia!

O Três não tolera se sentir desinformado ou inadequado. Isso resulta de sua propensão a se comparar e competir. A comparação é uma forma natural de ver as coisas para o Três. Cada informação que absorve é dividida em duas categorias: "o que é" e "o que poderia ser". Quando peço a pessoas tipo Três que contem histórias que representem o melhor de seu número, costumo ser recebida com hesitação. Em geral, consigo que admitam que prefeririam esperar para ouvir a história dos outros, a fim de avaliar se a história deles seria boa o bastante em comparação.

A maioria das pessoas tipo Três é competitiva, mas, ao contrário do

Oito, que gosta de competição por causa do alto índice de energia, o Três entra para vencer. Quando paramos e pensamos na quantidade de competição que enfrentamos todos os dias, fica clara a pressão que o Três enfrenta. O Três comprometido com o trabalho do Eneagrama se abre para a realidade de que, embora queira fazer sua parte, acaba se prendendo na vontade de trazer o melhor para a mesa. No entanto, aprende lições necessárias quando se arrisca, tenha ele o melhor a apresentar ou não.

A necessidade de reformular os fracassos. Quando falha, o Três logo reformula o fracasso como uma vitória parcial. E, se isso não funcionar, distancia-se daquilo que deu errado e atribui os problemas a fatores que não dependiam dele.

Uma comissária de bordo me contou sua experiência servindo bebidas para os passageiros em um de seus primeiros voos. Por estar em período de treinamento, ela achava que as *margaritas* e *bloody marys* já vinham com álcool na lata. Vários dos passageiros explicaram que a bebida estava leve demais e perguntaram se poderiam receber outro *drink*. Ela concordou. Um insistiu que não havia álcool nenhum na bebida, mas ela o convenceu de que tinha a quantidade padrão e provavelmente tinha gosto diferente do que ele estava acostumando por ser de outra marca. Outro pediu uma dose dupla, mas ela achou que não seria sábio fazer isso. Ao servir a bebida, ela o convenceu de que aquele *drink* era bem mais forte que o anterior.

Após terminar de distribuir as bebidas, a chefe de cabine, que precisava preencher o inventário das bebidas alcoólicas, percebeu que a novata de fato havia servido bebidas sem álcool nenhum.

Perguntei à comissária se ela foi repreendida por seu comportamento.

— Bem — contou ela —, era o voo de Los Angeles para Las Vegas, e eu lhe disse que as pessoas que pediram *drinks* eram jovens e provavelmente já haviam bebido o suficiente. Expliquei que, a meu ver, era nossa responsabilidade cuidar apropriadamente deles e achava que, a essa altura, era melhor para todos no avião que eu não servisse mais bebidas alcoólicas.

— E você conseguiu se safar assim? — perguntei.

— Sim. Mostrei para ela os passageiros que haviam pedido bebidas. Estavam satisfeitos. Dois haviam dormido e um, que estava relativamente mal-humorado ao embarcar, tomava em pequenos goles seu *bloody mary* sem álcool.

O Três não gosta de estar errado, por isso justifica seu comportamento reformulando a história — e é bom nisso, muitas vezes acreditando na própria história.

Imagem e autoproteção. O Três usa a imagem de maneira intuitiva como forma de garantir seu lugar nos relacionamentos com os outros. Em algum momento da infância, foi levado a acreditar que não era apropriado ter os próprios sentimentos e uma identidade pessoal. Nos relacionamentos com familiares e figuras de autoridade, o Três foi convencido de que era melhor colocar de lado os próprios sentimentos e se tornar o que as pessoas ao redor esperavam e aplaudiriam como desejável e bem-sucedido. Por isso, começou a desenvolver sua habilidade inata de ser o que fosse necessário. O Três pode pertencer a até quinze ou

> A paixão ou o pecado de cada número às vezes é tão forte que passa a definir seu comportamento.

vinte grupos diferentes, da família, ao ambiente profissional e ao voluntariado — e ser o destaque de cada um deles. É um dom extraordinário, mas difícil de administrar de maneira saudável.

Quando amamos uma pessoa tipo Três, ela não faz ideia de qual parte amamos, por isso tem dificuldade de aceitar que amamos *todas* as partes. Recebi o texto de uma artista bem conhecida que suspeito ser tipo Três. Enquanto comemorava seu aniversário de 61 anos na Basílica de Sacre Coeur, em Paris, ela escreveu: "Finalmente consigo acreditar que sou bem-vinda à mesa de Deus. Todas as partes de mim são bem-vindas".

No relacionamento com o Três, é muito importante entender que cada "eu" apresentado a você ou a outra pessoa consiste em um esforço de lhe dar aquilo que ele imagina que você quer, pois acredita que, se oferecesse o que está por trás dessa imagem, não seria amado, nem desejado. É incômodo reconhecer que pessoas tão amorosas e amáveis lutem para crer que têm valor como são. Imagine a vulnerabilidade disso dentro do relacionamento! O Dois esconde sua vulnerabilidade sendo necessário e útil, o Quatro a esconde atraindo o outro para si e então o afastando, já o Três a oculta por meio de conquistas acima da média.

Engano. O comportamento do Três não deixa vestígios quando está mudando de formato para agradar os outros. Isso pode parecer um dom, mas, na verdade, é um problema complexo, pois a pessoa perde contato com quem realmente é, o que pensa e como

3

Como o Três se adequa a cada relacionamento em que está inserido, tem dificuldade de expressar valores consistentes.

se sente. Quando o Três coloca como grande objetivo o sucesso e as conquistas, quando pula etapas e não interpreta bem os sentimentos (próprios e alheios), não só causa incompreensão, como também perde várias oportunidades. A maior perda acontece quando ele começa a acreditar que a "imagem construída" é sua versão genuína. É o pecado ou a paixão do engano. O Três engana a *si mesmo*.

Com muita frequência, o trabalho é o centro da vida do Três. É preciso muito esforço e autoconsciência para mudar isso. Além disso, em geral, a mudança não é apoiada pelo patrão. No entanto, suponho que, pela graça de Deus, às vezes uma experiência pessoal leva o Três a reexaminar seus valores e as coisas às quais se dedica.

Uma amiga minha tipo Três me contou um exemplo de como isso aconteceu na experiência dela: "Suzanne, há coisas que valorizo e se chocam com a organização na qual eu trabalho. Um exemplo gira em torno das necessidades e dos direitos de meus irmãos e irmãs que fazem parte da comunidade LGBTQ. Tenho um filho *gay*, e meu local de trabalho não oferece segurança ou apoio algum para eu falar sobre isso. Às vezes, eu me sinto uma fraude". Remover as máscaras que todos nós usamos para abrir nosso caminho no mundo pode ter consequências significativas — algumas positivas, outras menos.

Em minha experiência com as pessoas tipo Três, as mudanças transformadoras em prol dos relacionamentos mais importantes quase sempre têm uma consequência negativa sobre os relacionamentos menos importantes. É uma iniciativa que requer muita coragem.

Estresse e segurança

O Três faz parte do triângulo central do Eneagrama, junto com o Nove e o Seis. Quando está em seu espaço mais prejudicial, o Três parece desesperado por atenção, exige ser notado e atendido, se gaba dos próprios sucessos e, muitas vezes, exagera a própria importância. Se isso não der certo, fica bravo com todos que não acreditam na história que ele conta e pode assumir comportamentos punitivos e destrutivos. Lembre-se: o Três é extremamente competitivo, e isso se manifesta de maneira visível.

Em estresse, o Três migra para o Nove, o que o ajuda a equilibrar seu ímpeto competitivo. Ao assumir parte do comportamento do Nove, o Três se torna mais aberto a outras pessoas e suas ideias, tendendo a ser mais honesto consigo mesmo. Consegue descansar um pouco e relaxar, permitindo que sua energia competitiva se reduza. Ainda deseja ser notado, mas essa necessidade não é tão intensa e ele é capaz de se envolver melhor com os outros.

Quando se sente seguro, o Três tem acesso a algumas das melhores características do Seis. Com esse movimento, o Três ganha mais consciência dos outros. Não fica tão seguro de si, permitindo uma redução de ritmo e a colaboração nos relacionamentos profissionais e pessoais. É também nessa posição que o Três ganha mais consciência do desejo de se conectar com algo ou alguém maior do que ele, em vez de depender dos próprios pontos fortes.

Limitações nos relacionamentos

O Três é um número extremamente valorizado na cultura ocidental, na qual apreciamos juventude, eficiência, conquistas e sucesso. Trabalha por muitas horas sem reclamar. As pessoas tipo Três me contam que é muito difícil para elas tirar férias de verdade por causa da tecnologia, que lhes permite permanecer em contato com o trabalho enquanto estão longe. A cultura empresarial valoriza os funcionários que não precisam descansar e gostam da ideia de seguir em frente sempre. São boas notícias para o Três.

Mas o lado negativo de ser Três no mundo ocidental é que nossa cultura valoriza e aplaude exatamente as características que inibem transformações significativas. Aquilo que ajuda bastante o Três profissionalmente pode ser desastroso para os relacionamentos pessoais. Quando o Três tem o hábito regular de ir cedo para o serviço e ficar até tarde, seus relacionamentos sofrem. Quando perde repetidas atividades dos filhos por causa de projetos ou do trabalho, os relacionamentos sofrem. Se não estiver presente tanto física quanto emocionalmente com aqueles a quem ama, os relacionamentos sofrem.

O Três inicia os relacionamentos com uma ideia romântica de como o relacionamento será. A verdade é que todos os relacionamentos são complicados e imprevisíveis. Por isso, quando essa realidade chega, o Três costuma transformar o relacionamento naquilo que ele poderia ser estabelecendo metas e fazendo listas. A essa altura, o relacionamento se transforma em uma tarefa a ser cumprida. Se o Três não conseguir diminuir o ritmo, terá muita dificuldade de ser afetado por sentimentos íntimos, o que levará a todo tipo de consequências negativas para seus relacionamentos.

Com muita frequência, o Três troca as emoções reais por ideias *sobre* emoções. Essa abordagem só funciona em um relacionamento com um parceiro que também esteja disposto a reprimir seus sentimentos. O Três é focado em consertar as coisas, por isso pode demonstrar impaciência ou falta de consideração com alguém que deseja ser ouvido, como o Seis, ou com quem processa as coisas verbalmente, como o Dois. Em geral, o Três tem baixa tolerância para emoções mais sombrias, porém a menos que aprenda a estar presente para acolher os sentimentos do outro e os próprios, o relacionamento sem dúvida ficará comprometido.

Ao conversar sobre relacionamentos, um Três de meia--idade me contou:

> Valorizo a intimidade, mas nos meus termos — em doses pequenas e quando não estou concentrado, no meio de algo. A ironia é que quero que os outros cuidem de mim e me apoiem. Mas tenho dificuldade de reunir a energia emocional para fazer o mesmo em troca. Os outros podem saber que eu ofereço apoio e amor ao *fazer* as coisas por eles. Sei que é possível demonstrar amor não só pelo que faço, mas esse é um jeito concreto de expressar como me sinto em relação aos outros.

Mas as conexões íntimas com os outros não podem ser determinadas apenas por uma das partes, nem acontecerá sempre em uma hora marcada conveniente. É, ao mesmo tempo, injusto e contraproducente esperar de alguém aquilo que você não pode dar. Todos podemos aprender a nos adaptar de maneiras que não nos são familiares, nem confortáveis em prol do cuidado de outro e para o bem de um relacionamento valioso. Esse é o desafio do Três.

O caminho juntos

Costuma ser difícil para o Três ouvir a verdade a seu respeito. Courtney Pinkerton é *life coach* holística, fundadora da organização Bird in Hand Coaching, autora do livro *The Flourish*

Formula [A fórmula para florescer] e também uma das minhas pessoas preferidas tipo Três. Em tempos recentes, ela se mudou para Nicarágua com o marido e os três filhos, onde continuam a fazer a diferença no mundo.

Certo fim de tarde, Courtney e o esposo Richard caminhavam à beira-mar. O sol se punha, o vulcão estava envolto por uma névoa e seus pés descalços deixavam pegadas na areia negra vulcânica. Pareceu para Courtney o momento perfeito para causar uma impressão intencional em Richard em relação à próxima etapa da vida de ambos juntos, então perguntou quais eram seus objetivos e desejos. Mas ele demonstrou pouco interesse, dizendo: "Estou apreciando muito este momento: o movimento da água, a bruma, nós dois juntos — cada pedacinho!".

A resposta de Richard fez Courtney dar risada e, depois de refletir, ela comentou:

> Em qualquer relacionamento amoroso, há diversos papéis a desempenhar: às vezes, um é o que sonha e o outro é o que executa. Um é o artista e o outro cuida do orçamento. Um é *life coach* e o outro é o guru dos dados. Não acho que esses papéis em si sejam algo ruim, contanto que você permaneça vivo e não se prenda a um só. É bom revezar e cumprir diversos papéis. Para falar a verdade, os papéis que desempenhamos em um relacionamento costumam refletir as vozes e os aspectos humanos que carregamos dentro de nós.

O Três é mais bem equipado do que qualquer outro número do Eneagrama para desempenhar todos os papéis — se e quando for capaz de respeitar quem é tanto por dentro quanto por fora.

RELACIONAMENTOS *para* o TRÊS

Depois de tudo que foi dito e feito...

O Três contribui para a vida dos outros ajudando-os a definir e alcançar seu potencial. As pessoas desse tipo são rápidas, inteligentes e realizam muito. Ao mesmo tempo, conforme afirma Richard Rohr, o número mais triste do Eneagrama é um Três malsucedido.[1] Seria mais sábio para o Três expandir sua definição de sucesso e reconhecer que outros têm um sistema de valor que não equivale ao seu.

Seguem algumas outras coisas que o Três deve manter na lembrança:

Você pode...

- aprender a transitar da aparência emocional para a profundidade emocional.
- diminuir o ritmo, fazer amigos e apreciar atividades que não têm um resultado esperado ou uma vantagem tangível.
- aprender a desfrutar o sucesso sem associá-lo a seu valor como ser humano.

Mas você não pode...

- correr à frente de sua ansiedade.
- estabelecer metas para outras pessoas. É possível compartilhar um objetivo mútuo para o relacionamento, com o qual ambos concordaram, mas é preciso ter cautela, a fim de que a meta seja compatível e realista para as duas partes.
- proteger-se pessoalmente multiplicando identidades em grupos ou projetos dos quais participa.
- ser amado do jeito que você é se não permitir que as pessoas se aproximem e se não compartilhar pelo menos algumas de suas vulnerabilidades.

Por isso, você precisa aceitar que...

- seu trabalho não é sua identidade.
- os papéis são, ao mesmo tempo, enganosos e protetores.
- lições valiosas são aprendidas tanto com o sucesso quanto com o fracasso. Como diz o padre Rohr: "O sucesso tem muito pouco a ensinar após os 35 anos de vida".
- não existem soluções fáceis e rápidas para sentimentos feridos e oportunidades perdidas.

RELACIONAMENTOS *com* o TRÊS

Muito embora o Três pareça ter energia inesgotável, já que avalia seus dias e a própria vida com base na produtividade, por dentro costuma estar exausto. Deixe o Três saber que você não ama a imagem, mas, sim, o que está por trás dela. Aqui estão algumas maneiras de desenvolver um relacionamento com as pessoas tipo Três em sua vida:

- Não presuma que o Três tem fácil acesso aos sentimentos.
- Uma vez que a orientação temporal do Três se volta para o futuro, com frequência ele se distrai durante conversas. Em geral, isso quer dizer que algo que você falou levou a pensamentos sobre outra coisa e ele inesperadamente preferiu ir atrás dessa nova linha de raciocínio. Não leve a distração para o lado pessoal.
- O Três não se interessa por remoer o passado.
- Se não for intencional, o Três terá dificuldade de conversar sobre o que aconteceu ou está acontecendo no trabalho.
- O Três não gosta de perder, por isso ganha quando desenvolve uma maneira de ver as coisas menos dualista e menos focada em julgar as coisas como boas ou más, preferidas ou preteridas.
- Saiba que o Três quer sua aprovação e seus elogios. Fica muito feliz quando você verbaliza essas coisas.
- Tente não falar tanto sobre coisas negativas. O Três é otimista e aprecia quem consegue ver o lado bom da vida.
- Evite falar em excesso sobre o relacionamento.
- O Três parece forte, mas precisa que você tenha uma reação mais branda que a dele.
- Verbalize sua compreensão da luta do Três com a imagem e sua necessidade de mantê-la. Ao mesmo tempo, busque evitar o incentivo à manipulação da imagem e mudança de jeito de ser dependendo da situação.
- O Três precisa de incentivo para identificar seus sentimentos e falar sobre eles. Faça isso, mas depois que o Três se abrir um pouco, dê um tempo, para que ele não precise pensar em sentimentos por um tempo.
- Quem é Três não gosta de ser interrompido quando está trabalhando em um projeto.
- Dê ao Três informações corretas e diretas sobre suas necessidades. Ele deseja atendê-las — mas tem dificuldade de saber quais são.

— Tipo 4 —
Vá embora, mas não me deixe

Daphne havia gostado muito do jantar com Jane no restaurante japonês do momento, o preferido das duas. Por isso, quando pegou a correspondência dois dias depois, ficou surpresa ao ver a carta a seguir de Jane. Era curta, mas direta ao ponto:

Querida Daphne,

Quando jantamos juntas na terça à noite, você perguntou algumas vezes se meu novo emprego estava sugando toda minha energia. E você estava certa, pelo menos em parte. A transição tem me exigido muito. Então, não me resta nenhuma energia e isso só ressalta a diferença que sempre existiu entre nós. Você estava tão empolgada com sua nova casa e toda a linda decoração que está fazendo. Depois revelou sua tristeza diante da reincidência do câncer de mama em sua mãe. Senti-me inadequada como amiga e incapaz de oferecer muita coisa. Não tenho condições agora, mas quero ter, porque quando tenho forças para oferecer de mim a você, é simplesmente mágico. E nós duas merecemos um pouco de mágica agora!

Neste momento, porém, preciso me concentrar no novo emprego. Saiba que amo você e vamos voltar a nos encontrar depois das férias de primavera.

Com amor,
Jane

Daphne colocou a carta no balcão da cozinha e experimentou uma mistura familiar de sentimentos. Decepcionada. Triste. Confusa. Rejeitada. Incompreendida. Era a mesma velha história: "Eu sou intensa demais". Perguntou-se por que Jane não disse apenas que estava estressada demais e não poderia lidar com muita coisa no momento, em vez de recorrer a uma separação de cinco semanas.

Daphne continuava chateada quando Mark, o marido, chegou em casa. Como de costume, ele a acolheu e ouviu com paciência. Não tentou convencê-la a desconsiderar seus sentimentos. Lembrou-lhe, conforme já havia feito diversas vezes, que paixão e intensidade muitas vezes são incompreendidas. O que Daphne tinha a intenção que funcionasse como convite para a conexão pareceu ser incompreendido como não deixar espaço para Jane. Daphne sabia que Mark estava certo. "A realidade é essa", pensou ela. "Tenho certeza de que uma hora Jane acaba me ligando."

O que está acontecendo?

O que você acha que surpreendeu Daphne na carta de Jane?

Como a energia emocional entra em voga nos seus relacionamentos com outras pessoas?

Por que você acha que Jane escreveu uma carta, em vez de simplesmente dizer algo sobre seus sentimentos durante o jantar?

Nesse relacionamento e em outros, o que você acha que cria a "mágica" que Jane menciona em sua carta?

É comum que pessoas tipo Quatro como Daphne ouçam às vezes que são "intensas demais" — até mesmo de pessoas que se importam com elas. A intensidade das emoções do Quatro, acompanhada de humor imprevisível, requer entendimento, compaixão, paciência e apreço pela necessidade do Quatro de autenticidade. No relacionamento com o Quatro, pode parecer amoroso sugerir que ele "seja normal", mas nada poderia estar mais distante da verdade.

O mundo do Quatro

Quem é Quatro tem o desejo profundo de ser conhecido *lá no íntimo*, como quem realmente é. A experiência já lhe ensinou que a maioria das pessoas não dedica tempo a conhecer os outros, quanto menos a entendê-los. Quando converso com pessoas tipo Quatro sobre seus relacionamentos e seu desejo de ser conhecidos, é recorrente a incidência de dois elementos. Primeiro, muitas pessoas já as abandonaram — já sofreram fins inexplicáveis de relacionamentos. E segundo, os outros lhes dizem com frequência que são intensas ou complicadas demais. A despeito da dor dos relacionamentos, o Quatro consistentemente se recompõe e tenta mais uma vez.

Quando criança, o Quatro é levado a crer que há algo fundamentalmente errado com ele. Elizabeth, uma amiga querida, me conta que, durante sua infância, seus pais demonstravam desconforto com qualquer expressão de sentimento e lhe diziam com frequência que ela era sensível demais.

Elizabeth adorava sua professora do primeiro ano, Bunny Shelton. Com 1,47m de altura, a Srta. Shelton tinha o costume de usar o cabelo preso em um penteado bem alto, para ganhar vários centímetros a mais de altura. Era carismática e muito amada. Por isso, certo dia, quando Elizabeth ganhou um pirulito da professora, contou toda orgulhosa para os pais que fora a única a receber o presente *e* que fora uma recompensa por ela ser tão especial.

Infelizmente, o dia do pirulito foi o mesmo da reunião de pais e mestres. Quando os pais de Elizabeth agradeceram o pirulito à Srta. Shelton, descobriram que *todas* as crianças haviam ganhado o doce. Bravos e envergonhados pelo engano da filha, os pais de Elizabeth a fizeram pedir desculpas à

Srta. Shelton pela mentira. O desejo de se sentir especial a fez passar muita vergonha. Elizabeth reconheceu que esse é um padrão em sua vida:

> Creio que há muito a se dizer sobre as crianças tipo Quatro que não puderam expressar seus sentimentos em casa. Não podem ser elas mesmas. Não conseguem se sentir especiais. Acho que tentam captar algo do que se perdeu com mentiras, mas logo são pegas e envergonhadas por isso. A consequência é que o Quatro começa a confundir ser especial ou único com expressões externas de singularidade. Acho que se eu tivesse recebido mais acolhimento em minhas expressões de sentimentos, teria me apropriado melhor de minha essência ou peculiaridade pessoal.
>
> Eu sentia como se a essência de quem eu sou não seria aceita, por isso precisava inventá-la. Quando se cresce assim, é preciso aceitar a singularidade ou pessoalidade fabricada, mas com isso se acaba abrindo mão da própria autenticidade.

A maioria de nós quer oferecer o melhor nos relacionamentos importantes. O Oito prefere oferecer força. Para o Dois, "melhor" é qualquer coisa pessoal. E para o Quatro, o "melhor" envolve ser genuíno. Pode ser difícil para qualquer um abrir espaço para a autenticidade. Quando deparamos com um Quatro que é um pouco emocional demais e exageradamente envolvido nas próprias percepções, ele está externando esse desejo de ser real e autêntico.

Ao começar ou tentar manter um relacionamento, o Quatro costuma sentir tensão entre o desejo de ser visto e entendido como seu eu singular e uma atitude do tipo *laissez-faire* que alguns demonstram ao fazer conexões. Quando o Quatro se adapta a fim de encontrar pertencimento, sente que está se vendendo. Mas quando escolhe seu eu mais autêntico, pode parecer que está sacrificando aquilo pelo qual mais anseia — um relacionamento real.

Inveja. O pecado ou a paixão relacionada ao Quatro é a inveja. Não se trata de inveja material. O Quatro não quer seu emprego, sua casa ou seu carro. Em vez disso, anseia por seu conforto no mundo. Tem a sensação de que sua vida é menos ameaçadora e complicada. Também deseja sua felicidade — ou o que, aos olhos dele, parece ser sua felicidade. Como ele não tem essas coisas, inveja você. E a inveja o relembra de que ele é consideravelmente diferente da maioria das pessoas que conhece. Por isso, acaba se sentindo preso em uma armadilha. Quer a previsibilidade e o conforto de sua vida, mas, ao mesmo tempo, deseja uma vida autêntica que não é como a sua, nem como a de ninguém. O Quatro anseia tão profundamente por aquilo que não tem que, com frequência, acaba perdendo de vista o que já lhe pertence.

> Existem pelo menos nove conceitos diferentes do que é "melhor" nos relacionamentos.

Tudo isso impõe um verdadeiro desafio aos relacionamentos. É difícil aprender a estar com alguém que quer desesperadamente ser satisfeito, mas, ao mesmo tempo, não parece conseguir encontrar satisfação nas coisas como são. No fim, todos sentem que estão falhando.

Vergonha. O Quatro mediano costuma usar sua energia para manter uma autoimagem baseada em sentir, sonhar acordado e relembrar histórias do passado. Ao fazer isso, pode acabar perdendo de vista sentimentos mais autênticos na hora em que eles vêm à tona, pois tem o hábito de criar e sustentar humores que o agradem no momento. O Quatro imaturo pode escolher o papel de vítima para se sentir um pouco mais valioso quando alguém se dá ao trabalho de atentar para sua angústia. Todo esse comportamento não passa de um esforço para escapar da *vergonha* proveniente de acreditar que não cumpre as expectativas de algum modo crucial. Muitas vezes funciona, mas apenas momentaneamente.

O Quatro faz parte da tríade do coração, junto com os tipos Dois e Três. Esses três números precisam aprender que quem você realmente é não tem relação alguma com o que as pessoas pensam a seu respeito e nada a ver com o passado. Quando esses três números deparam com dificuldades no relacionamento, acreditam inicialmente que o problema está com eles, que qualquer coisa que tiver dado errado é sua culpa e que são inadequados de algum modo. Estão convencidos de que, se conseguissem fazer mais, ser mais, conquistar mais, ser diferentes, ser outra pessoa ou simplesmente ser excepcionais, então seriam amáveis e, portanto, amados.

Se você está em um relacionamento com alguém tipo Dois Três ou Quatro, a grande questão é: *Você está em um relacionamento com quem?* Às vezes, é a pessoa verdadeira, mas, em outras ocasiões, é apenas a pessoa que ele está fingindo ser. Muito embora a mudança de jeito e as adaptações sejam bem mais difíceis para o Quatro do que para o Dois e o Três, há grande tristeza quando o Quatro tenta ser quem ele acha que você pode amar e desejar.

Não se esqueça de que os números da tríade do coração substituem o poder dos sentimentos verdadeiros por todo tipo de reação. O Dois toma o cuidado de prestar bastante atenção ao sentimento dos outros, ao mesmo tempo que ignora os próprios. O Três considera os sentimentos complicados e imprevisíveis, então muito embora os reconheça tanto em si quanto nos outros, rapidamente os coloca de lado, como se fossem desnecessários e sem importância. O Quatro deseja a mesma satisfação que o Dois e o Três parecem obter com sua forma de gerenciar as coisas. Contudo, se houver uma ruptura em um relacionamento valioso, sentimentos e resultados comuns não bastarão.

O Quatro exacerba seus sentimentos a fim de achar um espaço para sua sensação de perda. Por exemplo, alguém como Daphne pode reagir à carta de Jane ficando em casa, ouvindo músicas tristes, assistindo a filmes melancólicos e olhando fotografias antigas que relembrem a amizade entre as duas. Ao fazê-lo, pode cair cada vez mais fundo em uma tristeza muito gratificante. Para o Quatro, uma amizade ou um relacionamento extraordinários jamais podem ser lembrados de forma comum.

Fuga do comum. O Quatro quer evitar ser comum porque é uma forma de proteger sua autenticidade. Em geral, evita aquilo que é atual e convencional, bem como o que podemos chamar de normal. Em vez disso, tenta descrever sua forma de enxergar o mundo. Certo Quatro me disse: "Tenho medo da mediocridade e não cogito ser 'normal' ou objetivo". Pense na complexidade dessa realidade nos relacionamentos. O Quatro quer se encaixar, mas não consegue — sente-se um pouco por fora o tempo inteiro. Quando você se relaciona com alguém tipo Quatro e vocês dois estiverem

4

Às vezes, o Quatro compartilha demais, explica demais e fala demais — criando um senso de obrigação ao qual os outros simplesmente não conseguem corresponder.

convivendo com amigos ou colegas, haverá situações em que você se sentirá da mesma maneira.

A verdade é que as pessoas tipo Quatro *são* mesmo muito especiais, mas nem sempre sabem disso, então se esforçam exageradamente para criar singularidade. E o preço pode ser alto demais. A ironia é que não há necessidade alguma de evitar ser comum, pois o Quatro dificilmente é assim. Contudo, se gastar parte de sua energia para se envolver nas tarefas comuns da vida e nas formas previsíveis, medianas e cotidianas de estar no mundo, isso pode melhorar seus relacionamentos.

Estresse e segurança

Quando estressado, o Quatro se desloca para a esfera mais prejudicial de seu número, na qual os excessos são garantidos, um tanto quanto destrutivos e estranhamente confortantes. Nesse espaço, a autoconsciência se transforma em autocondescendência. O compromisso com a autenticidade é transferido para um apego obstinado em ser diferente. Pode se tornar meio pretensioso, agindo como quem merece mais do que tem, ou fingir estar indisponível, na esperança de que você corra atrás dele.

Por reprimir a ação, o Quatro desequilibrado sofre com a falta de energia e determinação. Quando se acrescenta o elemento da vergonha, ele se sente incapaz de fazer qualquer coisa para mudar o *status quo*. Isso deixa o Quatro com um sentimento de desesperança que é difícil para os outros resolver com eficácia. Se você é próximo a alguém tipo Quatro, é possível que sinta uma falta de esperança semelhante ao tentar ajudá-lo.

Em estresse, o Quatro assume alguns comportamentos do Dois. Começa a se concentrar fora de si mesmo, abandonando a paisagem interior que havia ficado míope. Michelle, esposa de pastor e mãe de três adolescentes, explica que era hipervigilante em relação às emoções dos outros quando criança. É quase certo que ela estava em estresse, por isso recorria ao Dois como estratégia de sobrevivência. Michelle pensava: "O que há de errado com minha mãe? O que há de errado com meu pai? O que há de errado com a maneira como eles conversam um com o outro? O que há de errado com meu irmão mais velho? Meu irmão caçula? E o que há de errado comigo?". Por ser filha de um pastor cristão conservador, ela se sentia pressionada pela teologia da família e pela necessidade de manter as aparências. Ao intercalar a reflexão sobre o que havia de errado com ela ou com as pessoas a seu redor, concluiu que o problema devia ser ela mesma, já que todos eram iguais e apenas ela diferente. Foi preciso ir para a faculdade, encontrar uma mentora e um grupo de amigas para começar a se achar digna de estima.

Em uma esfera positiva, quando o Quatro tem acesso ao comportamento do Dois, ele pode ser mais cuidadoso com seus relacionamentos. Ajusta o foco para incluir a consciência do que está acontecendo fora

O QUATRO E OS OUTROS

Um: Com frequência, o Um luta contra emoções reprimidas, por isso o Quatro pode ensiná-lo a se conectar com esses sentimentos, em lugar de ficar preso na armadilha de pensar em categorias rígidas de certo/errado. O Um pode ajudar o Quatro a identificar quando seus sentimentos passam de autênticos para autocondescendentes.

Três: O Quatro tem tantas mudanças de humor em uma hora quanto os outros em uma semana e presta atenção a todas elas, ao passo que o Três coloca os sentimentos em suspensão. É uma grande diferença a ser trabalhada, porém seria saudável para ambos se encontrarem no meio do caminho.

Quatro: É um presente para o Quatro conviver com outro de mesmo número, porém há problemas em potencial. Pode ser muito difícil administrar o medo do abandono, mas também é possível ser uma experiência partilhada na qual um aprecie o outro.

Cinco: O Cinco precisa de espaço e o Quatro necessita de intimidade. Isso deve ser conversado nas amizades e em outros relacionamentos significativos. Ambos se darão bem com interações honestas.

Seis: Tanto o Quatro quanto o Seis se sentem incompreendidos pela cultura. Isso pode ser bom, contanto que consigam evitar se sentir incompreendidos um pelo outro. Pode ser consolador para o Quatro saber que seu amigo Seis leal permanecerá ao lado dele, mesmo em meio a emoções flutuantes.

Sete: O Quatro e o Sete são opostos no Eneagrama. Isso tem o potencial de ser bom ou extremamente complicado, dependendo do apreço que cada um tiver pelo lado das emoções que tem o costume de ignorar. O Sete pode aprender com o Quatro que muitas coisas boas acontecem no lado mais sombrio dos sentimentos, ao passo que o Quatro pode aprender com o Sete a receber de bom grado a alegria e apreciá-la.

Oito: O Quatro e o Oito têm pontos de vista muito diferentes quanto ao mundo e seu lugar nele. Mas se o Oito conseguir ser emocionalmente vulnerável e o Quatro evitar uma atitude dramática, os dois podem construir um relacionamento interessante. Será preciso comunicação honesta, algo que se aplica a todos os bons relacionamentos.

Nove: A boa notícia para o Quatro é que o Nove permanece. Isso é muito reconfortante para o Quatro, que se preocupa bastante com o abandono. Mas há alguns problemas: nenhum dos dois é bom em assumir responsabilidade por escolhas e pelo comportamento pessoal, ambos têm expectativas veladas e ambos evitam *fazer*. Pode ser um relacionamento complicado.

de si, além da atenção normalmente dispensada a seu mundo interno. É um bom espaço e tem impacto positivo sobre os relacionamentos.

Quando o Quatro se sente seguro, assume o comportamento do Um. É mais disciplinado, produtivo e até criativo nesse espaço. A influência mais útil do Um para o Quatro é a habilidade de ter sentimentos sem expressá-los e sem agir com base neles. Quando o Quatro consegue acessar parte do comportamento do Um, torna-se muito mais bem-sucedido no relacionamento com os outros.

Limitações nos relacionamentos

Uma vez que a melhor parte a nosso respeito é também a pior, há uma linha tênue entre muito bom e excessivo. Alguns números administram isso melhor que os outros, e o Quatro está entre os que mais têm dificuldade nesse aspecto.

O Quatro acha que os significados se expressam melhor por meio de histórias, símbolos, liturgia, arte, música e tradição. Todos podemos citar pessoas tipo Quatro que conhecemos, as quais oferecem ao mundo algo um pouco diferente da média. Esses seres humanos brilhantes acrescentam tanta cor, profundidade e textura a nossa vida! Ao mesmo tempo, muitas vezes sentimos que precisamos abrir caminho para o Quatro, porque sempre há mais dez camadas além do que conseguimos ver. Embora seja intrigante, com frequência se torna uma limitação à tentativa de buscar e construir relacionamentos.

As pessoas tipo Quatro me procuram e dizem: "Ninguém me entende". Anos atrás, quando comecei a ensinar o Eneagrama, cometia o erro de tentar convencê-los de que estavam enganados. Agora apenas respondo dizendo: "É verdade. São muito poucas as pessoas que entendem sua maneira de ver o mundo, e provavelmente essa sempre será sua realidade".

A solução para o Quatro é complicada. O pensamento de se conformar à ordem das coisas a fim de se encaixar sem dúvida é uma tentação; mas esse desejo é também seu maior perigo, pois, muito embora a sensação de isolamento e solidão seja indesejável, a falta de autenticidade é absolutamente inaceitável para o Quatro.

Bob Dylan talvez tenha sido o Quatro por excelência: aliou seu talento a sua forma singular de entender o mundo e nos deixou algumas das letras de música mais surpreendentes já escritas, enquanto tentava ajudar os outros a transitar pelo caos da década de 1960. Na música "Positively 4th Street", ele exprime a solidão do Quatro, ao mesmo tempo que respeita sua fidelidade à autenticidade:

Eu gostaria que apenas por um instante
Você calçasse meus sapatos
E só por esse instante
Eu pudesse ser você[1]

A maioria de nós não "entende" de verdade Bob Dylan, mas creio que, ainda assim, conseguimos achar uma maneira de nos conectar com sua música. E essa é nossa maior esperança no relacionamento com as pessoas tipo Quatro: acreditar que elas também estão tentando encontrar uma maneira de sair do mundo interno e se conectar conosco.

Muitas vezes, o Quatro busca os relacionamentos que não pode ter. Suspeito que essa atração por relacionamentos inalcançáveis é uma forma de autoproteção mal encaminhada e provavelmente inconsciente. Quem é Quatro parece crer que, se for atrás de alguém indisponível e não tiver êxito, será menos doloroso do que desejar um relacionamento com alguém disponível, mas que pode escolher não criar uma conexão com ele.

B. J., meu filho mais novo, é Quatro. Aos oito anos de idade, ele tinha a voz aguda de um soprano infantil, e seu sonho era passar o máximo de tempo possível cantando. Ele teve o privilégio de fazer isso como membro do coral de meninos do Texas. Os quarenta garotos do coral se apresentavam juntos, frequentavam a mesma escola, viajavam juntos, cresceram juntos e sabiam exatamente onde doía mais em cada um quando queriam implicar. B. J. tinha dificuldade de acreditar que realmente pertencia àquele grupo, pois nunca conseguia se conectar com os meninos que ele mais queria. O pertencimento foi algo que chegou mais tarde em sua vida, em parte por ser Quatro e em parte por ser B. J., mas sua limitação mais clara no cultivo

4

O Quatro muitas vezes sente dificuldade de resolver problemas, sobretudo quando se sente incompreendido (o que acontece na maioria das vezes) ou quando a solução parece comum.

dos relacionamentos era o desejo obstinado de ser importante para quem se mostrava indisponível.

Assim como B. J., o Quatro deseja encontrar um lugar para si mais do que qualquer outro número e vive com a ilusão de que outra pessoa é capaz de completá-lo. Com frequência, quando o Quatro mediano ou imaturo vivencia o pertencimento como uma realidade possível, sabota o relacionamento ao afastar a pessoa com quem está desenvolvendo uma conexão.

A reação comum do Quatro é intensificar ainda mais seus sentimentos e suas emoções, mas é difícil para os relacionamentos quando parece não haver limites para os sentimentos. Quando o Quatro não sabe lidar com a expressão plena dos sentimentos — felicidade, tristeza e tudo que está no meio do caminho —, quem se relaciona com ele tende a se afastar ou retirar. Infelizmente, o grande temor do Quatro é o abandono; por isso, quando as pessoas pedem um tempo ou parecem ir embora, a crença do Quatro de que não é digno de receber amor e de se relacionar parece se justificar.

> Aquilo que vemos e nossa maneira de ver determinam também o que escapa à nossa visão.

O caminho juntos

Minha amiga Elizabeth, sobre quem falei no início do capítulo, vive com o marido e os filhos em Austin, no Texas. Elizabeth pinta retratos. Usa telas grandes e suas obras são cheias de vida, com cores vibrantes e detalhes magníficos. Quando sento em frente a um de seus quadros por um tempo, saio praticamente com a sensação de que conheci a pessoa. Na noite em que Joe e eu fomos a Austin ver sua exposição, tivemos uma experiência extraordinária, pois me pareceu que a forma de ver o mundo de minha amiga estava pendurada em todas as paredes.

Ao entrar na galeria, fomos cumprimentados e recebemos um exemplar da "Declaração da artista". No alto do panfleto, dizia:

> *Aquilo que nós amamos, outros amarão,*
> *E nós lhes mostraremos como.*
> Wordsworth

Depois, havia uma reflexão de Elizabeth sobre o que estava acontecendo no mundo enquanto ela pintava — suas reações e esperanças:

Minha obra, em sentido geral, é o desejo por vezes fútil, mas voraz e absolutamente insaciável, de permanecer bem acordada. Bem acordada para o que está ao meu redor e para quem está ao meu redor — sobretudo pelo desejo de encontrar beleza. Não beleza no sentido físico ou de *glamour*, mas, sim, conforme explica Baudelaire, como "a correspondente do céu". Jacques Maritain afirma: "Nosso amor é causado pela beleza daquilo que amamos". Acho que vivo construindo, de forma subconsciente, um mundo mais fácil para amar e, assim, cultivar mais dele. Patty Griffin canta uma música sobre ser serva do amor, e todos nós o somos. Temos apenas a escolha de quão intensamente desejamos senti-lo. Diante da beleza, o amor se faz presente com mais facilidade. Na construção da beleza, participamos da correspondência com a eternidade. E não estou dizendo que o trabalho se encontra necessariamente no mesmo lugar que a beleza. Afirmo apenas que a intenção de encontrá-lo em outra pessoa é onde reside a beleza. Apaixonar-se por alguém requer primeiro que percebamos sua beleza. Essa percepção depende da qualidade e da intencionalidade de nossa visão. Precisamos ocupar a nós mesmos para ocupar o outro.

Ou, conforme afirma e. e. cummings: "Tornar-se artista não quer dizer nada, ao passo que tornar-se vivo, ou o próprio eu autêntico, significa tudo".

Posteriormente, quando conversei sobre a declaração da artista com Elizabeth, comentei: "Você sabe que nem todo mundo quer isso, certo?". E rimos juntas.

Quando o Quatro confia no relacionamento, consegue achar espaço para a consciência da própria singularidade, sem sentir que sua autenticidade está sendo sacrificada.

RELACIONAMENTOS *para* o QUATRO

Depois de tudo que foi dito e feito...

O Quatro tem os dons e a graça de sustentar tanto a beleza quanto a dor, sem a necessidade de escolher um em detrimento do outro. Para quem é desse tipo, é preciso descartar a ideia de que você é defeituoso de alguma maneira significativa. Aqui estão algumas outras sugestões para as pessoas tipo Quatro:

Você pode...

- rodear-se de beleza — mas não o tempo inteiro.
- ser testemunha da dor, sem precisar consertá-la.
- aprender a buscar a normalidade dentro das expectativas do excepcional.
- criar a própria imagem e se expressar de formas múltiplas. Mas nem todos irão aprovar ou entender. E tudo bem.

Mas você não pode...

- ter uma vida excepcional baseada em fantasia.
- encontrar muitas pessoas capazes de se ajustar a sua volatilidade emocional.
- ter mais do que uma ou duas pessoas na vida capazes de devolver em igual medida aquilo que você está disposto a dedicar ao relacionamento.

Por isso, você precisa aceitar que...

- as pessoas podem sim entendê-lo e gostar de você. É possível você ser amável e suficiente.
- a vida é comum e não há problema nisso.
- não existem relacionamentos perfeitos. A perfeição reside em sua capacidade de aceitar as coisas como são e transformá-las em algo melhor.
- a maioria das pessoas não valoriza a autenticidade da mesma forma que você.
- você terá poucas amizades profundas e significativas, em lugar de muitos relacionamentos sociais rasos.

RELACIONAMENTOS *com* o QUATRO

As pessoas tipo Quatro necessitam de confiança e atenção regular em seus relacionamentos pessoais. Querem que você seja autêntico com elas. Qualquer suspeita de falsidade pode levá-las a não confiar em você. Em geral, preferem menos relacionamentos, mas que sejam marcados por amor, mutualidade e interação individual, a diversos contratos sociais. Aqueles que não se intimidarem com a intensidade do Quatro (e até mesmo a valorizarem), permanecerem calmos quando o Quatro for instável e cultivarem a mutualidade descobrirão que o Quatro é um excelente amigo. Seguem algumas outras coisas para se manter em mente:

- Não tenha medo de dizer ao Quatro quando se sentir pressionado a ser mais do que consegue ou a assumir responsabilidades que vão além do seu papel.

- O Quatro sente necessidade de ser ao mesmo tempo singular e autêntico. Isso requer algumas concessões às vezes. Se você for honesto acerca de como o estilo do Quatro afeta sua vida, as diferenças poderão ser administradas.

- O Quatro anseia por aquilo que não tem e se sente confortável com essa sensação. Não é algo que você precisa consertar.

- Não diga ao Quatro para "se animar". Em geral, ele não está triste, nem deprimido, apenas se sente confortável com a melancolia. Mas não se esqueça de que você tem toda a permissão para ter uma atitude mais leve.

- Se você conseguir aprender a exemplificar equilíbrio e permanecer presente quando o Quatro estiver preso em um ciclo de oscilação de humores, será uma dádiva tremenda.

- O Quatro não gosta de acusações (talvez ninguém goste). Não o acuse de ser sensível demais ou de reagir de maneira exagerada.

- O Quatro sente que não é bom o suficiente ou que não é querido. Por isso, precisa que você reconheça os sentimentos dele. Afirme que o sentimento é válido, sem afirmar a premissa na qual ele se baseia. Lembre-o de que você o enxerga como alguém mais competente, valioso e amável do que ele consegue se ver no momento.

- No ambiente de trabalho, deixe claras quais são as expectativas, confie na capacidade que o Quatro tem de fazer o próprio trabalho, dê a ele liberdade criativa e reconheça seus pontos fortes e suas habilidades.

- Não leve para o lado pessoal a dinâmica de se aproximar e se afastar. Dê espaço para o Quatro processar seus sentimentos.

— Tipo 5 —
Minhas cercas têm porta

Enquanto entrava no supermercado, vi que havia chegado uma mensagem de voz de minha amiga Carolyn. "Oi, estava torcendo para você atender. Tento ligar de novo mais tarde. Espero que esteja tendo um bom dia." Carolyn e eu somos amigas próximas há cinco décadas, mas é raro ela ligar. Ela trabalha em nosso centro de ministério, então quando telefona por razões profissionais e eu não atendo, deixa uma mensagem detalhada. Ouvi de novo a breve mensagem de voz e tive a certeza de que algo estava errado.

Carolyn é dez anos mais velha que eu. Eu a conheci quando estava na faculdade e trabalhamos juntas há quase quinze anos.

Quando telefonei, ela atendeu na primeira chamada.

— Oi! Recebi sua mensagem. Está tudo bem?

— Bem, você sabe que eu finalmente fui me consultar há algumas semanas. Estou bem. Pelo menos eu acho que sim. A médica me encaminhou para uma mamografia. Alguns dias depois, ligou para dizer que eu precisaria agendar outra, por causa de uma mancha suspeita. Fiz isso e, na verdade, há duas manchas, por isso precisarei voltar para fazer outro exame, que deve ser mais conclusivo.

Carolyn sempre demonstrou hesitação em compartilhar coisas pessoais. Minha mãe é tipo Cinco, e o mesmo se aplicava a ela. Sempre me perguntei se isso acontece porque o Cinco não quer ter a necessidade de administrar quaisquer sentimentos além dos próprios. Por isso, minhas filhas e eu sempre ouvimos com atenção diante de qualquer indício de que as coisas não vão bem na vida de Carolyn.

Ela continuou:

— Eu estava planejando contar isso para você e para as meninas. Achei que deveria contar para aquela com quem conversasse primeiro. Mas fui ao cinema com a Joey um dia desses e estava tão gostoso que acabei não falando nada. Conversei com a Jenny hoje de manhã, então achei melhor ligar para você também.

Carolyn é minha melhor amiga ao longo de toda minha vida adulta. Ela nunca se casou e, embora tenha uma irmã, uma sobrinha e um sobrinho, nós a consideramos parte de *nossa* família. Não queria que ela fosse fazer o exame sozinha e *eu* desejava acompanhá-la (lembre-se: sou Dois). Então disse:

— Ok. Bem, assim que eu chegar em casa, vou lhe mandar meu itinerário de viagens para você consultar. Assim posso acompanhá-la no próximo procedimento.

Sempre procuro respeitar sua necessidade de espaço e privacidade, mas também não quero que ela enfrente experiências difíceis sozinha.

Às vezes, insisto em lhe fazer companhia, ela me agradece pela presença e admite sua alegria por não estar sozinha. Dessa vez, porém, Carolyn disse que estava bem e que estava me "preservando para as coisas importantes", quando *realmente* precisasse de mim. Expliquei que há suficiente de mim para estar com ela tanto neste momento *quanto* nas coisas importantes.

— Vou estar bem. Sério! Não tem necessidade de ir. Agora preciso trabalhar. Eu te amo, te amo, te amo!

Ciente de que, quando ela disse "te amo" três vezes o foco mudou para mim, expressei minha gratidão por tê-la em minha vida e entrei no supermercado.

O que está acontecendo?

Com qual pessoa da história você se identifica? Por quê?

Como você lidaria com uma situação semelhante com um amigo próximo que precisa ir sozinho fazer um procedimento médico importante?

No contexto da amizade, qual solução respeitaria as duas pessoas?

Como o Eneagrama explica o que está acontecendo aqui?

O Eneagrama ensina que existem nove maneiras relativamente previsíveis de lidar com as crises. O Cinco faz parte da tríade do medo, no lado esquerdo do Eneagrama, e administra seus temores obtendo informações e conhecimento. Em geral, tais informações são compartilhadas de forma pensada e metódica. Seu padrão é guardar para si certas informações, partilhar seus sentimentos com apenas uma ou duas pessoas e administrar suas reações com o pensamento. Embora sejam singulares na necessidade de privacidade e independência, as fronteiras do Cinco permitem a troca de informações pessoais, mas somente nos termos dele.

Aprendi com Carolyn, com minha mãe e com outras pessoas tipo Cinco que a maioria de seus sentimentos é traduzida para pensamentos antes de ser compartilhada. Isso não quer dizer que o Cinco seja desprovido de sentimentos, apenas que ele se esforça para preservá-los o suficiente a fim de ser capaz de articulá-los e dividi-los com outro alguém. Por ser tipo Dois, eu cultivo os sentimentos. Escrevo sobre eles em diários, partilho com os outros, conecto-os com sentimentos que já tive no passado e os mantenho por perto. Em minha amizade com Carolyn, porém, a solução não é nos encontrarmos no meio do caminho. Não seria uma opção realista. Pareceria, soaria e daria a sensação de algo sem autenticidade. Nosso desafio é deixar que ambas

O mundo do Cinco

O Cinco reage à vida se perguntando: "O que eu *penso*?". É uma ótima resposta em moderação, mas a vida também se apresenta a nós de modos que às vezes exigem *sentir* e *fazer*, junto com pensar. Assim como o Seis e o Sete, o Cinco administra tudo com a cabeça. Prefere pensamentos convergentes, que ofereçam uma resposta correta, aos pensamentos divergentes, que abrem espaço para ideias criativas que surgem da análise das muitas fontes possíveis.

A vida do Cinco é bem planejada e a espontaneidade não lhe é confortável, nem chama sua atenção. Em geral, tem uma agenda previsível, vai para o trabalho pelo mesmo caminho, variando somente quando necessário e mantém um calendário organizado. Sua rotina matinal pode ser mais ou menos assim: levantar, escovar os dentes, abrir as cortinas a caminho da cozinha, fazer café, ir para a varanda da frente pegar o jornal, servir uma xícara de café e fazer uma torrada, ler a primeira página de várias seções do jornal, tomar banho, arrumar a cama, se vestir e sair para trabalhar mais ou menos no mesmo horário todos os dias. Com uma agenda assim, imagine o desafio de integrar outras pessoas e suas necessidades.

Os relacionamentos são arriscados para o Cinco. Nita Andrews, uma amiga minha tipo Cinco com asa Quatro, explica essa questão da seguinte forma:

> O Cinco só vai atrás do risco *calculado*. Ele testa a água e depois testa de novo. Não sei se é uma questão de natureza ou de cuidado. Não sei ao certo o que veio primeiro, mas eu fui uma

criança isolada. Por isso, colocar-me embaixo de um piano e olhar para os pedais — aqueles objetos pequenos e organizados de feltro e marfim — me trazia muito conforto. Meu primeiro quadro, vinte anos mais tarde, foi da parte debaixo de um piano. Eu vivia ali quando criança, com uma luminária, um livro e um lençol por cima do piano. Era a fortaleza para toda minha natureza Cinco. Eu já estava encontrando um espaço para as coisas e as trazendo para dentro, debaixo do piano, a fim de ficarem seguras.

Só há espaço para uma pessoa embaixo do piano. Conseguir convencer o Cinco a sair dessa segurança tem condições. Por isso, se você quer passar tempo com alguém tipo Cinco, em geral precisará pedir para agendar um momento. O Cinco médio avalia com cuidado a validade de seu pedido e então pesa o tempo e a energia que irá demandar antes de dar uma resposta.

Com frequência, o Cinco é incompreendido pelos tipos que pertencem à tríade dos sentimentos — Dois, Três e Quatro —, por não entenderem a necessidade de avaliar o tempo e a energia necessários nos relacionamentos. Os relacionamentos se desenvolvem de maneira natural para os tipos ligados aos sentimentos, mas não necessariamente para os tipos do pensamento e, de maneira especial, não para o Cinco. O Cinco com consciência de que, com frequência, acaba mal interpretado ganhará muito se dedicar um tempo a explicar sua forma de ver as coisas e compartilhar suas necessidades logo no início do processo de conhecer alguém. Os outros precisarão aprender que, para o Cinco, tempo a sós é uma necessidade para que se sinta confortável em oferecer de si mesmo e seus dons para o mundo.

> O Eneagrama não nos diz apenas quem nós somos, mas também quem podemos ser.

Independência, privacidade e autoproteção. Todos evitamos algo, e o Cinco evita ser dependente dos outros. Na verdade, ele valoriza muito a independência; por isso, criar e conservar fronteiras é muito natural em seu jeito de viver.

Por causa dessa grande valorização da privacidade e da independência, o Cinco tem capacidade limitada de interação com outras pessoas, e esse é um obstáculo significativo nos relacionamentos. Também quer dizer que tende a dispor de uma quantidade limitada de energia, o que lhe impõe dificuldades. Isso é complicado no processo de conhecer alguém. Não se esqueça de que o Oito tem mais energia do que qualquer número do Eneagrama e o Nove tem menos, mas o Cinco tem uma quantidade definida de energia para cada dia e, quando ela acaba, já era. É como o maná, o alimento providenciado para os israelitas durante sua peregrinação pelo deserto: eles recebiam o suficiente para o dia, mas não podiam guardar sobras para o dia seguinte.

O Cinco enxerga a independência como a chave para administrar sua falta de energia. Isso é irônico, já que a solução real é a interdependência — relacionamentos reais e autênticos —, mas isso requer uma compreensão sobre os relacionamentos que a maioria dos Cinco só alcança a partir da meia-idade. Na verdade, um dos motivos para o Cinco evitar a necessidade de ajuda dos outros se encontra no fato de que considera desafiador interagir. Pessoas mais velhas tipo Cinco me contam que gostariam que se conectar com os outros fosse um

5

As pessoas tipo Cinco são excelentes ouvintes, pois se interessam por toda e qualquer coisa. Além disso, não sentem o desejo de ser o centro das atenções.

processo mais fácil. Explicam que perderam muito na vida por causa da necessidade de tempo a sós e de espaço para processar em particular pensamentos e sentimentos.

Conversas sociais que incluem falar sobre onde moramos, qual é nossa profissão, nossa opinião sobre o clima e o time esportivo do coração são temas confortáveis para o Cinco. No entanto, quando chegamos à narrativa sobre a vida pessoal ou o ponto de vista sobre um assunto do momento ou controverso, o Cinco tende a se retrair. Recentemente, certo Cinco me contou: "Não ofereço meus pensamentos ou minha história para muita gente. Gosto de preservar minha privacidade". Compartilhar detalhes pessoais requer mais energia e leva a mais perguntas, experiência que o Cinco acha esgotante.

O Cinco administra tanto sua privacidade quanto sua independência de diversas formas, algumas delas intuitivas e outras intencionais. Certo Cinco me contou sobre o valor da compartimentalização, ao dizer: "Eu hesitaria em apresentar as pessoas do trabalho para meus amigos da igreja. E meus amigos do trabalho nunca conheceram minha família. Todos eles me conhecem de maneiras distintas e sabem coisas diferentes a meu respeito. E gosto que as coisas sejam assim". Mas pode ser desafiador para os relacionamentos encontrar espaço, ao mesmo tempo, para o desejo forte por independência e o compromisso profundo com a privacidade. Ambos têm seu valor, mas o exagero de qualquer um deles é um problema.

Avareza. Veja bem, esse é um termo que não usamos todos os dias. Em geral, a *avareza* está relacionada à ganância, mas, ao designar a paixão do Cinco, tem a ver com a crença de não possuir recursos internos suficientes para atender todas as demandas da vida, inclusive os relacionamentos. Sua ganância é por privacidade e independência.

A sabedoria do Eneagrama nos diz que nossas paixões nos ensinam lições sobre o que precisamos aprender. Muitos relacionamentos se baseiam na troca de ideias e conhecimento. E algumas de nossas conexões mais íntimas resultam de ter uma necessidade e permitir que outra pessoa a atenda. Assim, o compromisso do Cinco de prover tudo para si reduz sua habilidade de se conectar com os outros. Os relacionamentos melhoram quando o Cinco consegue ouvir e levar em consideração ideias e soluções diferentes das próprias, bem como quando sabem aceitar ajuda dos outros.

O Cinco costuma enxergar a vida pela lente da escassez. Retém seus recursos para que suas necessidades jamais sejam um problema para os outros. Mas esse tipo de pensamento o inibe de buscar e cultivar relacionamentos. A ideia de que suas necessidades serão um problema para as pessoas que o amam e se importam com ele simplesmente não é verdadeira. A vulnerabilidade da necessidade é uma de nossas formas de aprender a amar, mas precisa ser uma via de mão dupla.

Desconexão das ações. Assim como o Quatro e o Nove, o Cinco tem consciência de quando uma situação requer ação, mas, com frequência, é cego à possibilidade de que ele próprio deveria agir. Talvez se pergunte o que aconteceu, analise como o problema deve ser resolvido ou sugira ideias aos outros, mas é raro tomar a frente e *fazer* algo. O resultado dessa falta de iniciativa é a repressão da capacidade de afetar o mundo. Mas é um ciclo: o Cinco acredita que não faz ou não pode fazer a diferença, seja no processo seja no resultado, por isso não age. E sua inação alimenta a crença equivocada de que não tem poder para efetuar mudanças.

Esse pensamento traz consequências graves para os relacionamentos, pois significa que, muitas vezes, o Cinco não faz sua parte, ignorando responsabilidades em casa e no trabalho. Em um nível mais profundo, aqueles dentre nós que amam pessoas tipo Cinco têm dificuldade quando elas se revelam indispostas ou incapazes de agir em nosso favor quando mais precisamos.

Estresse e segurança

O cantor e compositor Michael Gungor é tipo Cinco e explica o Eneagrama da seguinte maneira: "O Eneagrama não é um poleiro; é mais um espaço por onde você paira e consegue ver como o estresse o afeta, bem como o que fazer para reduzi--lo. Isso é muito útil, especialmente na construção de relacionamentos".[1] Gosto da expressão "espaço por onde você paira", pois descreve a natureza dinâmica do Eneagrama.

O Cinco tende a gostar do Eneagrama no que diz respeito ao movimento em estresse e segurança, uma

O CINCO E OS OUTROS

Um: O Cinco tende a ter dificuldade com o desejo do Um por perfeição. As críticas do Um costumam fazer o Cinco se sentir inadequado e incompetente. Mas os padrões do Um não são um reflexo da competência do Cinco, e o Um pode se beneficiar muito da objetividade do Cinco.

Dois: O Cinco tem dificuldade com as demonstrações efusivas de afeto do Dois. A forma do Dois de estar no mundo parece um desperdício de energia para o Cinco. Mas o Dois é um bom modelo social para o Cinco, pois sabe ajudar os outros a se sentir queridos e confortáveis, além de aprender a respeitar limites pessoais.

Três: O Três está ocupado com a própria vida, então não exige muito do Cinco. Mas o Três se importa profundamente com a imagem e com o que os outros pensam a seu respeito. Raramente essa é uma preocupação do Cinco. O Cinco tem um presente a oferecer ao Três, ensinando-lhe o valor de se afastar um pouco.

Quatro: Talvez o tipo de personalidade do Eneagrama mais desafiador para o Cinco seja o Quatro, já que esses dois números são opostos em vários aspectos. Mas se (ou quando) o Cinco desenvolve uma asa Quatro, descobre que a conexão entre a cabeça e o coração é preciosa nos relacionamentos.

Cinco: O Cinco se sente muito confortável em meio a outras pessoas de mesmo tipo, mas é possível que a conexão envolva somente o pensamento. O desafio é usar o pensamento, os sentimentos *e* as ações.

Seis: A lealdade do Seis é um presente para o Cinco, mas a ansiedade social do Cinco pode ser exacerbada por um Seis que se encontra em território desconhecido. Uma interação positiva acontece quando o Cinco consegue ser racional em relação aos temores injustificados do Seis e se o Cinco deixar o Seis ajudar a planejar soluções para situações que o deixam ansioso.

Sete e Oito: O Cinco compartilha uma linha com o Sete e o Oito no Eneagrama. O Oito aprende com o Cinco o valor de se afastar, observar, pensar e então reconectar. E o Cinco oferece ao Sete a oportunidade de encontrar equilíbrio entre a participação e a observação. O Sete dá ao Cinco uma leveza que o impede de se levar a sério demais. E o Oito ajuda o Cinco a definir o que ele gosta ou quer.

Nove: O Nove se torna um desafio quando não acompanha o que o Cinco pensa. Mas isso é bom para o Cinco. O Nove pode até enrolar um pouco, mas, nas questões importantes, é um pensador independente. E é um dom o fato de não pressionar o Cinco a fazer coisas que ele não quer.

vez que se move para o Sete quando se sente estressado e para o Oito ao se sentir seguro. Sem sombra de dúvida, eu diria que esses movimentos estão entre os mais estranhos do Eneagrama e, se não forem compreendidos, causam grandes problemas nos relacionamentos.

Quando o Cinco fica em excesso no próprio número, seu mundo se torna cada vez menor. Preocupa-se menos com as necessidades dos outros e mais consigo mesmo e com seu desejo esmagador de privacidade e segurança. E quando o mundo do Cinco encolhe, praticamente não sobra espaço para outras pessoas. Um de meus alunos é tipo Cinco e disse: "Quando me sinto sobrecarregado, em situações emotivas ou disfuncionais, eu simplesmente desapareço". Mas pode ser necessário para o Cinco resistir a essa tendência para o bem dos relacionamentos.

Em estresse, o Cinco adquire intuitivamente parte do comportamento do Sete. É uma grande mudança, já que ele tende a ser contido e recatado na maior parte do tempo. Se o Cinco aprender a buscar o lado mais saudável do Sete quando se sentir pressionado ou sobrecarregado, encontrará certa liberdade em depender daquilo que os outros pensam ou sugerem como o caminho a seguir. Ao focar fora de si, as pessoas tipo Cinco são mais divertidas, menos rígidas, mais confortáveis com o mundo e encontram mais conforto na companhia dos outros.

O Cinco é mais propenso que os outros àquilo que o restante de nós chama de "humor ácido". Às vezes, é um humor cínico e sarcástico demais, que gera incompreensão, sobretudo com os tipos pautados pelos sentimentos. Com certa influência do Sete, porém, o humor do Cinco se abranda de forma que permite conexão com os outros. Tanto o humor quanto a conexão são reveladores e apreciados.

Um relacionamento também precisa ser capaz de dar espaço para o Cinco seguro que ocupa o espaço do Oito. O Cinco no território do Oito é muito mais espontâneo e aberto em sua comunicação, mais conectado com seus sentimentos e menos temeroso de agir. A vida e os relacionamentos parecem oferecer mais plenitude quando o Cinco desfruta certa energia do Oito. Nesse espaço, o Cinco investe mais nos outros e recebe mais em troca, dissipando o mito de que doar e se conectar sempre cobram um preço alto demais.

O Cinco tende a manter o *status quo*: evita mudanças e riscos, administrando tanto seus temores quanto sua energia limitada por meio de envolvimento restrito com o mundo exterior. Tais escolhas restringem sua oportunidade de acessar a energia do Sete e do Oito, o que pode resultar em perda para o Cinco e seus relacionamentos. Quando se sente confortável com mais espontaneidade e um pouco mais de risco, há benefícios tanto para ele quanto para os outros. A habilidade de migrar para o número do estresse é boa para os relacionamentos em todos os tipos do Eneagrama, sobretudo para o Cinco.

Limitações nos relacionamentos

Seria errado dizer que o Cinco não precisa de relacionamentos ou não os quer. Isso não é verdade. No entanto, ele se sente mais confortável com apenas um ou dois amigos íntimos fora do seio familiar. Aliás, às vezes ele acha as pessoas invasivas.

Anos atrás, quando meus filhos eram pequenos, Carolyn foi acampar conosco em um final de semana. A caminho de casa, observei, pelo retrovisor, que ela parecia cansada e pensativa. Perguntei-lhe sobre o que ela estava pensando. Carolyn respondeu: "Para ser honesta, eu só estava pensando no quanto quero chegar em casa e ficar sozinha!". Acho que o Cinco se sente sozinho assim como todos nós, mas também acho que sua necessidade de conexão é satisfeita mais facilmente.

Também ajuda lembrar que o Cinco precisa estar disposto a escolher participar, em vez de apenas observar. Um pastor tipo Cinco explicou: "Por estar no ministério vocacional, meu desafio está em como interagir no mundo enquanto aprendo a tomar a iniciativa e me engajar na realidade. Na segunda metade de minha vida, às vezes as pessoas se confundem e me acham extrovertido. Acho que é porque aprendi a ficar 'ligado' e presente. O que a maioria não sabe é que preciso me recuperar disso. No dia seguinte, tenho a necessidade de passar o tempo inteiro sozinho, apenas para recarregar as baterias".

> O comportamento disponível para nós em períodos de estresse e segurança pode ser incorporado a nossa vida como um todo.

Para o Cinco, relacionar-se com as pessoas cobra um preço. Não é incomum precisar de um dia inteiro de solidão depois de estar disponível e presente para os outros. Esse tempo a sós atende a mais de um propósito. Por ser um pensador organizado, o Cinco necessita de tempo para processar sua experiência em relação àquilo que já considera verdade.

Minha amiga Carolyn não gosta da ideia da maioria das reuniões sociais, mas, depois de chegar, parece se divertir. Perguntei-lhe como ela administra essas situações. Sua resposta foi: "Tenho um escudo mágico. Quando me sinto desconfortável demais, eu o uso".

Aprecio essa imagem mental e entendo que ela permite que Carolyn participe sem precisar gastar energia preciosa. Mas fiquei curiosa para saber como o escudo funciona, por isso decidi fazer um experimento: desafiei Carolyn a ir a um jantar da comunidade em nossa igreja e usar seu escudo. Minhas instruções foram: ir ao jantar, levar um prato, sentar e comer com um grupo de pessoas e depois voltar para casa. Depois eu perguntaria às pessoas se alguém a vira. Carolyn fez a parte dela. E eu fiz a minha. E ninguém respondeu que a viu. Nem as pessoas com quem ela se sentou para comer.

Desde então, ganhei muito mais consciência das pessoas que me fazem perguntas em eventos, mas não lembro de tê-las visto na plateia. Quase sempre, tais indivíduos são tipo Cinco. Parece que o Cinco é capaz de se esconder em qualquer grupo, seja de sete pessoas, seja de setecentas.

Mas o Cinco perde quando se esconde e as outras pessoas perdem por não o conhecer. Para o Cinco, estar presente requer coragem, mais que para qualquer outro número. Ao passo que muitos de nós doam daquilo que sobra, o Cinco precisa dar de sua

5

Como o Cinco preserva demais a própria privacidade, muitas vezes recusa ajuda necessária — até mesmo das pessoas que mais o amam.

essência. Ainda assim, deve arriscar se fazer conhecido. Sem dúvida, descobrirá que os benefícios mútuos de um relacionamento superam o preço pessoal a ser pago.

O caminho juntos

Kenny é padre anglicano e um amigo pessoal. Ele descreve a alegria de crescer em Oklahoma, sendo tipo Cinco:

> Quando criança, um dos maiores presentes que meus pais me deram foi uma enciclopédia mundial. Todos os dias, antes de ir para a escola, antes mesmo do café da manhã, eu acordava, escolhia uma letra e lia alguns verbetes. Era uma experiência estética para mim — me dava alegria. Havia um senso de conexão, uma espécie de beleza interior naquilo que eu aprendia. Mais para o fim do fundamental 1 ou no início do 2, minha mãe comprou para mim um conjunto de química. Eu ia à biblioteca e pegava emprestados os livros de experiências químicas. Meu pai trabalhava em uma companhia petrolífera em Bartlesville e trazia utensílios químicos usados do laboratório para mim. Eu tinha um laboratório de química na garagem — era maravilhoso!

Quando achei que já havia escutado tudo, Kenny acrescentou: "Ah, e eu colecionava mapas de viagem, daqueles que eram vendidos nas lojas de conveniências dos postos de gasolina".

Enquanto Kenny descreve um retrato encantador de sua infância como um Cinco brilhante e introvertido, é importante entender a distinção entre ser introvertido e ser inacessível. O Cinco tem a capacidade inesperada de trazer uma agradável curiosidade ao momento e ao relacionamento. Sua independência pode parecer impenetrável, mas suas cercas têm porta.

RELACIONAMENTOS *para* o CINCO

Depois de tudo que foi dito e feito...

A sabedoria do Eneagrama ensina que o Cinco é o único número capaz de ser verdadeiramente neutro. É um dom a se oferecer aos outros. Eis mais algumas coisas para quem é Cinco manter em mente:

Você pode...

- sobreviver sendo visto e conhecido antes de estar completamente pronto.
- ter amizades duradouras repletas de experiências suaves e sutis de familiaridade.
- encontrar formas calculadas de estar no mundo que não esgotarão seu depósito de energia.
- ter um relacionamento íntimo sem arriscar mais do que tem condições de perder.

Mas você não pode...

- viver sem precisar da ajuda dos outros às vezes.
- ser competente em todas as áreas da vida o tempo inteiro. A necessidade de aprender não significa incompetência, mas, sim, inexperiência.
- ter relacionamentos saudáveis sem arriscar doar parte do seu tempo, abrir mão de um pouco de privacidade e encontrar uma forma de oferecer e receber afeto.
- saber tudo.

Por isso, você precisa aceitar que...

- os relacionamentos exigirão mais ou menos de você, dependendo da fase de vida. Você precisará doar mais durante a meia-idade do que no último terço da vida. E, por causa da graça, você terá a força necessária.
- embora você valorize o pensamento mais que sentimentos e ações, isso não é verdade para muitas outras pessoas em sua vida. A fim de se conectar com os outros, você precisará se esforçar para equilibrar seus pensamentos com um pouco de emoção e ação.
- o mundo exterior tem valor além da obtenção de informações.
- os relacionamentos não podem acontecer sempre nos seus termos — as necessidades dos outros são tão reais e pronunciadas como as suas.

RELACIONAMENTOS *com* o CINCO

O Cinco avalia os acontecimentos da vida em relação ao custo para eles em termos de dinheiro, energia, tempo, privacidade e afeto. Em geral, o Cinco não sabe o que dar, então acaba se retraindo. Se você estiver ciente disso, pode deixar claro para ele que você nota quando recebe algo sem ter pedido. Nos relacionamentos com pessoas tipo Cinco, também mantenha na lembrança o seguinte:

- Seja claro com o Cinco sobre o que você quer e precisa, mas não seja exigente.
- Saiba que o Cinco nem sempre entende as insinuações e sugestões indiretas nas conversas.
- Seja claro e direto com Cinco, mas não use palavras demais.
- Se você tiver um problema com uma pessoa tipo Cinco, marque uma hora para falar sobre o assunto. Dê ao Cinco tempo para pensar sobre sua preocupação e limite o tamanho da conversa. Uma boa maneira de fazer isso seria dizendo: "Quero lhe dizer do que preciso e então você me diz se pode me dar ou não".
- Se você está em um relacionamento com um Cinco, não o pressione para socializar com outras pessoas. Isso precisa acontecer de maneira natural. Ele não vai bem quando pressionado.
- O Cinco tem dificuldade em encontrar seu lugar no que já está acontecendo. Você pode ajudar dizendo, por exemplo: "Quer sentar com a gente? Tem lugar para você". Depois, faça uma introdução do tipo: "Gente, este aqui é o Antônio. Nós trabalhamos juntos".
- Se você perguntar ao Cinco como ele se sente, ele lhe dirá o que está pensando. Você precisará ser persistente a fim de conduzir a conversa para o nível dos sentimentos.
- Incompetência e inadequação são as causas centrais de medo no Cinco. Provavelmente jamais haja um momento para falar de qualquer um desses temas com leveza.
- É muito importante para o Cinco saber o que é esperado dele. Dê detalhes.
- O Cinco tem o forte desejo de viver de uma forma que o leve a jamais depender de alguém para tomar conta dele. Caso um Cinco se encontre em posição de necessitar do seu cuidado, faça-o com o mínimo de palavras e afetação possível.

— Tipo 6 —
Questionar tudo

Duas das minhas pessoas preferidas, ambas musicistas, são tipo Seis. Aparentemente parecidas por fora, Jill e Dana são muito diferentes. Jill mora em Nashville com o marido também músico e com os três filhos do casal. Certa tarde, enquanto Jill e eu conversávamos sentadas em sua varanda telada, ela explicou como é ser uma artista talentosa tipo Seis que vive e trabalha em uma cidade como Nashville:

> As pessoas aqui têm uma visão. Têm o *lance delas*, e é isso que fazem. Ser tipo Seis em Nashville é bom para mim porque eu não preciso disso. Não preciso ter minha própria visão, nem meu lance. Fico feliz em acompanhar outras pessoas e apoiar a visão delas. Quando saio do palco depois de fazer isso, sinto-me superfeliz.
>
> Há uma frase de David Wilcox com a qual meu marido e eu nos identificamos ao longo dos anos: "Quando você vai a um *show* de música *pop*, os artistas tentam convencê-lo de que são diferentes e especiais, ao passo que os artistas *folk* tentam convencer as pessoas de que somos todos iguais". Nossa posição sempre foi de que somos iguais. Não somos especiais, nem diferentes; somos pessoas normais. Por isso, quando saio do palco, não quero ninguém achando que sou extraordinária ou maravilhosa. Quero poder falar com os outros sobre a vida e seus filhos e então compartilhar minha experiência. Quero, de verdade, que saibam que sou exatamente como eles.[1]

A abordagem de Jill a seu trabalho é bem diferente da de Dana. Dana é diretora do departamento de música e artes em uma igreja com uma torre alta no centro de Dallas. Ela trabalha com pessoas de todas as idades, tanto em corais quanto em apresentações teatrais. Quando perguntei a Dana por que ela se tornou líder, sorriu entusiasmada e se inclinou para a frente com uma resposta pronta, acerca de como o coral era seu "lance" no ensino médio. Incentivada pelo regente do coral, Dana começou a usar seus dons dessa maneira e ficou surpresa com o que descobriu:

> Logo percebi que eu gostava de ajudar os outros a encontrar a própria voz e sabia ajudá-los a ser melhor juntos. Também descobri que era capaz de fazer o som de meus corais melhorar ao diagnosticar rapidamente os problemas e consertá-los. Como eu sou a líder, posso controlar o ambiente — literalmente. Garanto que a temperatura esteja adequada, os assentos e a iluminação também. Confiro se o som está preparado, se o horário foi definido e é de conhecimento de todos, e se o repertório escolhido é apropriado. E algo muito importante: também crio sistematicamente um ambiente receptivo, de trabalho em equipe e respeito.

Essas duas mulheres, ambas musicistas e de mesmo número no Eneagrama, são diferentes uma da outra de formas sutis, mas significativas.

O que está acontecendo?

Com qual pessoa você se identifica mais, Jill ou Dana? Por quê?

Recorde a frase da David Wilcox sobre artistas *pop* e *folk*. Você se aproxima mais dos músicos *folk* ou dos músicos *pop*? Por quê?

Presumindo que talento musical não seja um problema, o que seria bom em participar do coral de Dana? O que o deixaria desconfortável?

Como você descreveria as diferenças entre Jill e Dana com base nessas duas histórias?

O Seis é o único número que pode ser dividido em dois tipos. A distinção entre os dois diz respeito a sua forma de reagir ao medo ou à ansiedade, que, segundo a sabedoria do Eneagrama, é seu pecado ou sua paixão. Em resposta ao medo, a motivação do Seis é se *sentir* seguro e *estar* protegido.

O mundo do Seis

Os dois tipos de Seis diferem por sua forma de lidar com o medo. Jill é tipo Seis *fóbico*. Ela se sente confortável como parte de um grupo maior, uma vez que se concentra mais em como somos iguais do que em como somos diferentes. Está interessada em construir relacionamentos voltados para interesses em comum. Por isso, reduz a importância de tudo que a levaria a se destacar e se comporta de modo delicado e gentil com os outros, independentemente de quem sejam. Jill gosta de uma estrutura familiar e de regras instituídas por outras pessoas cuja veracidade seja testada e comprovada.

Dana é tipo Seis *contrafóbico*. Ela gosta de oferecer segurança para os outros por meio da criação de uma estrutura na qual as pessoas possam se reunir e se sentir acolhidas. Ela pensa em cada detalhe, sente-se confortável em posição de liderança e tem mais consciência das diferenças do que da mesmice. Interessa-se em construir relacionamentos com pessoas e entre elas, ajudando-as a trabalhar juntas. É sistemática em criar uma comunidade na qual todos saibam "como fazer, o que fazer e por que fazer". Destaca-se dentro de um grupo e encontra um jeito de interagir com os outros, a despeito de quem sejam.

O Seis está envolvido em mais atividades em grupo do que qualquer outro número do Eneagrama. Dos nove tipos de personalidade, é o mais preocupado com o bem comum. As pessoas tipo Seis são a cola que mantém ligadas todas as organizações às quais pertencemos — não saem por causa de pequenos conflitos, nem pulam de grupo em grupo. São leais, se esforçam sempre para cumprir seu papel e querem fazer parte de algo maior do que elas próprias.

Tanto Jill quanto Dana constroem comunidade. Por serem tipo Seis, ambas estão comprometidas com a criação de um espaço aberto e um lugar seguro para todos. Mas seus métodos para alcançar esse objetivo são diferentes de maneira ao mesmo tempo sutil e profunda: Jill *permite* que a comunidade se forme, ao passo que Dana *cria* a comunidade.

Necessidade de se sentir seguro. Às vezes, a paixão (ou o pecado) de cada tipo e sua forma de ver o mundo podem se tornar tão fortes que determinam suas escolhas. Às vezes, a paixão é apenas a expressão óbvia de um comportamento contraproducente. Em outras ocasiões, todos os números do Eneagrama podem se perder sob seu domínio. Isso é especialmente verdadeiro e importante para o Seis: sua paixão é o medo, e ele pode crescer exponencialmente de inúmeras maneiras.

É um exercício fascinante assistir ao noticiário local e nacional da perspectiva de cada número. E é uma experiência poderosa tentar absorver tudo da perspectiva do Seis. Para ele, cada notícia traz um elemento ameaçador e a necessidade de criar um plano.

6

O Seis pode demorar a perdoar porque tende a se apegar a deslizes e mágoas do passado.

E isso não se limita ao noticiário. Os comerciais se aproveitam de nossas ansiedades e desconfianças, as quais se manifestam de maneira exagerada no Seis. Quando assisto a propagandas na televisão, posso muito bem desistir da vida. Não tenho um simulador de caminhada elíptico. Minha lava-louças está a ponto de pegar fogo a qualquer momento. Com certeza, o vidro do *box* do banheiro é *muito* perigoso. Estou usando a pasta de dente errada desde que aprendi a escovar os dentes! Preciso perder peso, mas como saber qual sistema usar — Herbalife, Vigilantes do Peso, Whole 30, dieta cetogênica ou jejum intermitente? Não há como termos economizado o suficiente para a aposentadoria! Cupins estão corroendo nossa casa inteira. E toda carne de porco faz mal. Ou seria de frango? Ou de boi? E para completar tudo, as verduras orgânicas não são orgânicas de verdade. Uau!

Todos sentimos medo de maneiras ligadas ao nosso tipo. Por ser Dois, sinto medo de que as pessoas não me queiram. O Nove teme o conflito. O Oito tem medo de ser controlado. Para o Seis, porém, o medo em si é a preocupação e ele está sempre se perguntando: "E se?". O Seis fóbico tende a ceder ao medo. É mais maleável nos relacionamentos com pessoas arrojadas e seguras de si. O Seis contrafóbico tende a superar o medo. Desconfia de gente que tem respostas demais e que aparenta excesso de confiança. Por isso, em geral gosta de encontrar o próprio caminho. E muitas pessoas tipo Seis são uma combinação de fóbico e contrafóbico, dependendo das circunstâncias.

Um Seis fóbico explicou seu tipo da seguinte maneira:

> Luto contra o medo e a ansiedade ao longo da vida inteira, desde que era pequeno. Lembro-me de deitar na cama preocupado com a partida de futebol pré-escolar na manhã seguinte. *Futebol*

pré-escolar! Eu sabia que as outras crianças não se sentiam assim. Elas simplesmente se levantavam da cama e corriam pelo campo. O mais engraçado é que eu sempre joguei bem. Aliás, aprendi a jogar tão bem ao longo dos anos que ganhei uma bolsa de estudos. Por isso, toda aquela preocupação não passava de desperdício de energia. Com o tempo, melhorei na administração dos meus temores, mas eles sempre me acompanham.

Veja agora como minha amiga Sheryl, tipo Seis contrafóbico, descreve seus medos:

> Gosto de falar em público e de dar aulas. Conheço outras pessoas tipo Seis que também são assim. Embora tenhamos medo, em geral não é de situações sociais, mas, sim, dos "e se", os cenários que se desenvolvem em nossa mente acerca do que pode dar errado em situações novas. Por exemplo, se eu sei que preciso dar uma aula ou falar em público, preparo-me bastante e não me preocupo muito com isso. Sei que serei capaz. Mas se não tiver tempo para me preparar e precisar me apresentar de repente, faço, mas fico ansiosa.

Ambos são ansiosos, mas o Seis fóbico cede à ansiedade e se perde imaginando tudo de pior que pode acontecer, ao passo que o Seis contrafóbico espera o pior e gasta a mesma energia fazendo um plano para resolver a questão.

Todos sentimos forte necessidade de controle quando estamos com medo, mas outros números não compartilham da mesma *necessidade* de se sentir seguros. O Seis aprecia ordem, planos e regras porque todos eles oferecem um mínimo de segurança. Sentimo-nos seguros quando há pouco ou nenhum caos, quando a vida corre tranquila e as coisas acontecem como deveriam. Mas relacionamentos são confusos — têm variáveis demais para sempre prosseguir de forma tranquila. Por isso, há momentos em que a necessidade que o Seis tem de se sentir seguro passa por cima dos relacionamentos.

O Seis deseja previsibilidade e espera ter certeza, mas não pode contar com nada disso. Assim como o Oito, quer afetar os outros sem ser afetado ou influenciado em troca, e isso raramente acontece. Quando não consegue administrar sua ansiedade, o Seis às vezes recorre à dependência dos sistemas de crença das organizações às quais pertence. Certo Seis me disse: "Às vezes, acho que depositamos nossa confiança no lugar errado — sobretudo em líderes que imaginamos ser capazes de cuidar de nós e nos fazer sentir menos medo. Então a lealdade dificulta o processo de parar de confiar, mesmo se for na pessoa errada". Por isso, o Seis pode se beneficiar enormemente de aprender a confiar na *própria* experiência de vida. Quem é Seis tende a se depreciar e, ao fazê-lo, acaba colocando esperança demais nos outros. Quando o Seis não confia em si mesmo, todos saem perdendo.

Em geral, o discernimento é mais confiável se levamos em consideração o todo de nossos relacionamentos. É prejudicial para qualquer número do Eneagrama quando nos perdemos nos altos e baixos.

Planejamento para o pior. O Seis administra seus sentimentos de ansiedade imaginando o pior que poderia acontecer e se preparando para essa possibilidade. Então tenta ficar alerta e preparado para tudo que poderia dar errado, a fim de que possa

6

Como o Seis costuma pensar em excesso, é propenso à procrastinação. Para os outros, porém, isso pode parecer falta de compromisso.

permanecer seguro. Perguntei a uma amiga tipo Seis como é a experiência de viajar para ela.

> Sou uma ótima companheira de viagem, pois estou sempre em busca de informações precisas — qual é o terminal do voo, onde pegar o metrô ou o ônibus, como fazer para ir ao banco ou supermercado em um país estrangeiro. Minha superantena capta pistas e minha mente as analisa com rapidez. Assim, consigo identificar e resolver problemas, para nos levar aonde precisamos. Observar tudo com agilidade é uma reação habitual à vida. O Seis está sempre à procura de um perigo oculto para poder lidar com ele.

Outras pessoas tipo Seis optam por viajar para lugares com os quais se sentem mais familiarizados, com menos variáveis e menos detalhes para planejar. É possível que escolham ir para o mesmo local em meio à natureza todo verão, onde reservam sua casa de campo preferida com antecedência. Depois de conhecer a cidade, saber onde fica o supermercado, quais são os lugares seguros para as crianças brincarem e onde há oportunidades de recreação para a família inteira, conseguem planejar o tempo sem precisar incluir essas variáveis e mudanças inesperadas.

A paixão ou o pecado de cada número às vezes é tão forte que passa a definir seu comportamento.

Para os familiares e amigos que não são tipo Seis, a segurança durante uma aventura pode não ser a principal preocupação. Suponho que seja óbvio o fato de todos os números reagirem de maneira diferente a estar longe de casa. Por exemplo, os problemas no relacionamento costumam diminuir quando o Um sai de férias, pois ele fica mais relaxado e menos compulsivo. Mas os problemas se exacerbam quando o Seis viaja. Pessoas tipo Seis já me disseram diversas vezes que proteção é uma necessidade central que têm em relação às pessoas próximas. Logo, dá para entender porque, quando se afastam da rotina normal, podem se tornar superprotetores (fóbicos), já que a rotina é incomum e há tantos fatores desconhecidos. Em contrapartida, o Seis contrafóbico não tem paciência com os temores, a menos que você esteja tentando superá-los. Assim, as férias são uma excelente arena para que essa conversa ganhe centralidade.

Desconexão do pensamento produtivo. A pessoa do tipo Seis tem dificuldade de aceitar o ensino do Eneagrama de que ela "reprime os pensamentos". Não consegue imaginar como isso poderia ser verdade porque, a seu ver, ela pensa *o tempo inteiro*. Mas boa parte de seu pensamento não é produtivo: não leva o indivíduo a ações ou descobertas. Conheço um executivo de sucesso que já está perto de se aposentar. Ele é tipo Seis contrafóbico e explica esse tipo de pensamento:

A gente de fato curte essa história de *pensar*. É o que mais gosto de fazer. Digo com frequência: "Isso não faz sentido!". O que significa que já refleti em minha mente e a conta não fechou. Em geral, tudo bem ser assim, exceto quando essa conta que não fecha envolve sentimentos, meus ou de outras pessoas. Em geral, só consigo seguir em frente quando me sinto seguro, quando a situação não criará problemas e quando já previ os possíveis resultados.

Às vezes, eu me canso de pensar em excesso e ajo por impulso. Aprendi que parto para a ação como forma de parar de pensar.

6

O Seis faz muitas perguntas. Os outros podem se sentir ameaçados quando as perguntas são numerosas demais, pessoais demais ou feitas cedo demais.

Às vezes, isso dá certo, mas nem sempre. Pode se tornar um ato apressado e irrefletido, o que eu odeio porque fico achando que deveria ter pensado melhor.

O Seis aceita prontamente o conceito de pensar de maneira mais produtiva, mas, com frequência, não sabe por onde começar.

Sem dúvida, há números do Eneagrama que encontram muito conforto em planos, na rotina e na previsibilidade. Outros não. Por exemplo, o Nove pode facilmente cair em uma rotina e permanecer nela sem pensar muito no que poderia dar errado. O Cinco gosta da rotina porque o ajuda a administrar sua quantidade limitada de energia. O Seis não só gosta da rotina, como também encontra segurança nela. Mas e os números que não desejam uma vida tão previsível? Para alguns números, a liberdade é tão necessária quanto a segurança o é para o Seis. Muitos problemas de relacionamento surgem por causa dessa diferença entre necessidade de estabilidade ou florescimento em meio à espontaneidade.

> Alguns números do Eneagrama preferem a rotina, ao passo que outros se sentem energizados pelo inesperado.

Não há problema o Seis usar seu pensamento para reunir informações sobre o mundo. O problema começa quando ele reage depressa demais e falha em usar o raciocínio claro para processá-las.

O Seis é capaz de aperfeiçoar seus relacionamentos sempre que para, respira e pensa com clareza antes de cair na armadilha da ansiedade. O Seis inventa coisas quando fica ansioso e então reage à história que criou. Quem divide a vida com pessoas tipo Seis acha esse padrão bem desconcertante. Por isso, o Seis precisa fazer o esforço consciente de trabalhar na disciplina de esperar antes de reagir.

Estresse e segurança

Quando em estresse, o Seis reage primeiro se afastando para, em seguida, conferir o que está pensando ou sentindo com pessoas em quem confia, pois muitas vezes não acredita em si mesmo. Se você se relaciona com um Seis que está passando por estresse e ele confia em você, perguntará qual reação você considera apropriada para aquela ansiedade específica. Faça questão de oferecer sua melhor resposta, mas não exija que o Seis siga seu conselho. Às vezes ele seguirá, mas com frequência não. Quase sempre, o Seis já tem uma ideia ou um plano próprio e está apenas reunindo informações para ver se os outros apoiam ou colocam em descrédito as decisões que já tomou.

Na infância, fazíamos correntes de cartolina para a árvore de Natal. Cortávamos as tiras de papel e então as colávamos em círculos entrelaçados. É isso que o Seis faz com

O SEIS E OS OUTROS

Um: Quando o Seis está em relacionamento com o Um, sua ansiedade costuma aumentar, porque nunca se sente bom o bastante. Isso precisa ser reconhecido e debatido, caso contrário o Um achará que está sozinho na tentativa de fazer as coisas.

Dois: O objetivo do Seis quase sempre é segurança, ao passo que a meta do Dois sempre é relacional. Por isso, ambos precisam concordar em ser honestos acerca de suas diferenças. Além disso, o Seis precisa tomar cuidado com suas dúvidas quanto à motivação do Dois naquilo que ele faz com e pelos outros. Em contrapartida, o Dois deve evitar se concentrar na desconfiança do Seis. Pode ser complicado.

Três: O Três ama o sucesso e confia nele, ao passo que o Seis não. O Seis precisa ensinar ao Três sobre a ansiedade que costuma acompanhar seus sucessos.

Quatro: O Seis se planeja ao pensar no pior cenário possível, ao passo que o Quatro se sente confortável com seus anseios. O Quatro pode se ver enredado em pensamentos do tipo "Se tão somente..."; já o Seis se pergunta: "E se?". Fiquem atentos a isso.

Cinco: O Cinco não necessita ter todas as respostas, por isso o Seis precisará trabalhar com ele a fim de dar conta de todas as suas perguntas. Ambos fazem parte da tríade da cabeça e têm muito em comum. E os dois podem se esforçar para acrescentar sentimentos e ações a seus processos de pensamento.

Seis: Quando duas pessoas tipo Seis se juntam, se uma sente medo, a outra quase sempre responde com otimismo, como se fossem duas crianças em uma gangorra. É bem incrível.

Sete: O Sete entra em sua mente e imagina um futuro melhor do que será. Já o Seis entra em sua mente e imagina o pior. Ambos podem aprender a usar essa dinâmica para o bem de seus relacionamentos.

Oito: O Oito e o Seis têm diferenças significativas, uma vez que o Oito vai "rápido demais" para o Seis e o Seis é "devagar demais" para o Oito. Um valor que compartilham é a lealdade. No entanto, o Seis precisa tomar cuidado, pois, às vezes, acaba sendo leal até demais.

Nove: O Seis e o Nove se sentem relativamente confortáveis juntos porque conseguem se ver um no outro. Ambos precisam assumir responsabilidade por definir os próprios objetivos. Esperar sugestões ou direcionamento do outro pode não ser a melhor forma de agir, mas apoiar um ao outro será benéfico.

seus medos e suas memórias, mágoas passadas e decepções: se o Seis tem medo de você ir embora e deixar o relacionamento, entrelaça esse sentimento a tudo que aconteceu na vida que o leva a temer o abandono. Às vezes, o relacionamento sucumbe debaixo do peso dessas correntes. Mas se o Seis conseguir identificar esse padrão, será capaz de interrompê-lo. Vale a pena o esforço, tanto para o Seis quanto pelas pessoas que ele ama.

Quando em estresse, depois de esgotar o que o pensamento em corrente tem a oferecer para aliviar suas preocupações, o Seis assume o comportamento do Três. Nesse movimento, ele se torna mais seguro de si — toma decisões, age e questiona muito menos as próprias escolhas.

Quando o Seis se sente no topo e a vida vai bem — quando experimenta segurança —, tem acesso a parte da perspectiva do Nove de habitar o mundo. É lindo quando o Seis consegue confiar em si e na própria experiência de vida. Faz bem para seus relacionamentos. Nesse espaço, o Seis tem a sensação de que tudo ficará bem.

Limitações nos relacionamentos

O Seis é sincero no desejo de sempre fazer sua parte. Às vezes, porém, falha em honrar suas prioridades, pois subestima o tempo necessário para gerenciar responsabilidades e compromissos. Por isso, uma boa ideia para o Seis é estimar o tempo necessário para o compromisso e então dobrá-lo. Isso o ajuda a cumprir seus principais compromissos para com as pessoas que ele mais ama.

Outra luta do Seis, mesmo em seus relacionamentos mais próximos, é perdoar e esquecer. Tende a acreditar que pode se proteger ao relembrar mágoas e decepções, por isso acha difícil perdoar, uma vez que o perdão o leva a se sentir ao mesmo tempo vulnerável e impotente. Já ouvi falar de pessoas tipo Seis que registram em um diário quando alguém com quem se relacionam as magoa. Certa mulher chega a notar desconexões dolorosas em um calendário e os guarda ano após ano. O Seis precisa aprender que nós sempre falharemos nos relacionamentos e sempre teremos decepções com os outros para resolver. Embora isso seja mais difícil para alguns números do Eneagrama do que para outros, todos nós precisamos dar *e* receber perdão. Faz parte da relação.

> Às vezes, confiar é uma decisão.

Por motivos compreensíveis, o Seis acha difícil confiar, mas os relacionamentos não sobrevivem sem confiança. Sem dúvida, as pessoas que o Seis ama têm a responsabilidade de ser honestas, leais e dignas de confiança, mas também há um trabalho para o Seis fazer. Às vezes, confiar é uma decisão.

Um casal me procurou alguns anos atrás em busca de uma forma de avançar no relacionamento, acreditando que o Eneagrama poderia ajudar. Eu não diria que estavam passando por dificuldades, apenas se viam travados. Ela fora casada antes com um homem cujo abuso assumia a forma de negligência. Por isso, quando se divorciou, tinha dificuldade de confiar nas pessoas, até conhecer o homem sentado a seu lado em meu escritório. Eles se amavam muito e haviam se esforçado bastante para construir um casamento e uma vida familiar saudável. Mas ela era insegura e tinha medo de confiar de verdade tanto nele quanto no amor que compartilhavam. Por volta de duas vezes por semana, ela começava a se preocupar que ele a abandonaria. É claro que ele não tinha intenção nenhuma de ir embora e se magoava quando ela sugeria essa possibilidade.

Após ouvir a história, decidi contar para eles que Joe e eu tivemos um desafio semelhante no início de nosso casamento. O ponto de virada aconteceu quando Joe segurou minhas mãos e disse: "Eu não vou embora. Amo nossa vida. Amo você e as crianças de todo o coração. Estou aqui plenamente comprometido e envolvido. Por isso, não há nada mais que eu tenha a oferecer. Esse trabalho precisa acontecer em você. Você deve decidir confiar nisso ou não. Mas não há nada mais que eu possa fazer".

Decidi confiar nessa promessa.

O caminho juntos

Ciente de que muitos dos membros de sua congregação são tipo Seis, meu esposo Joe usa a sabedoria do Eneagrama quando lidera a igreja rumo a mudanças. Ao reformar o prédio, comprar ou vender uma propriedade da igreja, ele sabe que o Seis precisa de tempo para processar tudo.

O Seis mantém unidas todas as organizações às quais pertencemos e não sai por problemas pequenos. Sente-se feliz em fazer sua parte pelo bem da comunidade inteira, mas quer permanecer informado e ter voz nas decisões que o afetam. Embora o Seis tenha muito a oferecer, hesita em se prontificar em tempo real, pois não confia em si mesmo. Precisa de tempo para processar o que ouve, formular as perguntas que quer fazer e avaliar se suas dúvidas ou preocupações têm valor para a comunidade inteira.

Por isso, para o bem de todos, Joe fazia todas as reuniões duas vezes. Duas vezes. Isso dava às pessoas tipo Seis o tempo necessário para participar plenamente do processo. Assim, da segunda vez que a reunião acontecia, tais indivíduos estavam preparados para fazer perguntas bem pensadas, observações significativas e contribuir com confiança para a decisão em voga.

Muitos acreditam que há mais pessoas tipo Seis do que qualquer outro número. Por isso, às vezes é difícil para nossa sociedade agitada abrir espaço para suas muitas perguntas e preocupações variadas. No entanto, os Seis são os indivíduos mais preocupados com o bem comum e, quando têm tempo, conseguem enxergar coisas que passam desapercebidas pelos outros.

Todos podemos nos beneficiar de reduzir o ritmo e ver o mundo pelo olhar do Seis.

RELACIONAMENTOS *para* o SEIS

Depois de tudo que foi dito e feito...

Lembre-se de que, como não podemos mudar nossa forma de enxergar, precisamos ajustar o que fazemos com aquilo que vemos. Para o Seis, não há dúvida de que os outros números do Eneagrama não lutam tanto contra o medo. Aqui estão mais algumas coisas para manter em mente:

Você pode...

- aprender a confiar em si mesmo, mas somente se praticar. Algumas coisas só podem ser aprendidas pela experiência.
- aprender a acreditar em sua forma interna de conhecimento.
- ouvir seu corpo. A cabeça e o coração podem mentir para você, mas seu corpo não.

Mas você não pode...

- esperar que os outros sejam tão leais e fiéis aos grupos aos quais pertencem. A forma como eles lidam com seus compromissos e suas responsabilidades não lhe compete.
- ser notado sem correr certo risco. Alguns dizem que o Seis só quer se misturar sem ser observado. Não acho que seja verdade. Acredito que você quer ser notado, porém nem sempre está disposto a correr os riscos necessários.
- sentir-se seguro sempre, mas pode reconhecer quando o medo está se tornando autocondescendente.

Por isso, você precisa aceitar que...

- algumas coisas *darão* certo e, se não derem, você terá tudo de que precisa para resolver qualquer situação que surgir.
- o medo sempre desempenhou um papel em sua vida. Mas você também pode começar a diminuir essa questão se conscientizando dela e se esforçando para pensar de maneira produtiva.

RELACIONAMENTOS *com* o SEIS

O principal a se manter em mente no relacionamento com pessoas tipo Seis é que confiança é extremamente importante para elas. Tendem a criar limites para manter fora quem não é digno de confiança, por isso fazem muitas perguntas a fim de obter mais informações. E quando recebem mais informações do tipo certo, é muito tranquilizador, pois leva a mais confiança. Seguem mais alguns elementos a se levar em conta:

- O Seis tem profundo apreço por pessoas genuínas e autênticas, mas não confia nas aparências. Ele observa para ter a certeza de que você é quem afirma ser.
- Planejar-se para o pior cenário possível é confortante para o Seis, então leve-o a sério quando ele vier conversar com você sobre o que poderia dar errado. Dizer que não é preciso se preocupar e que tudo vai dar certo o levará a uma sensação de condescendência, desrespeito e menosprezo. Mas você pode e deve se concentrar no melhor resultado possível, em vez de focar o pior.
- Incentive o Seis a confiar mais em si mesmo e a correr mais riscos (calculados).
- Não ajuda dizer coisas do tipo: "Você deveria confiar mais em si mesmo". Ajuda se você criar oportunidades para mostrar ao Seis momentos anteriores em que ele confiou nas próprias ideias e na capacidade de realizá-las sem conferir a opinião de ninguém antes.
- O Seis gosta de amigos emocionalmente maduros, honestos e não muito carentes.
- Em geral, o Seis guarda para si a própria ansiedade. Costuma tentar administrá-la sozinho, sem chamar a atenção dos outros.
- O Seis precisa de muitas mensagens de afirmação — observáveis e verbais — acerca de seu compromisso com ele.
- Incentive o Seis a agir quando estiver pensando excessivamente. Ele tende a confundir pensar sobre algo com fazer algo a respeito para resolver.
- Enfatize todas as coisas boas que ele traz para o relacionamento.
- Seja gentil e solícito ao responder a todas as perguntas que o Seis faz.

— Tipo 7 —
Está tudo bem

Quando Darrin estava no segundo ano do ensino médio, ele e três amigos se envolveram em uma aventura na madrugada em um parque popular à beira do lago, que envolveu muita diversão e riso, falta de roupa e algumas bebidas que não eram permitidas nem por seus pais, nem pela lei.

Darrin era um daqueles meninos que sempre são pegos. Aliás, seus pais costumavam receber um telefonema informando qual era a travessura da vez antes que ele chegasse em casa. É assim ser filho de pastor em uma cidade pequena. Nas raras ocasiões em que Darrin não era pego, ele mesmo se denunciava, pois tinha dificuldade em guardar para si o prazer que sentia em suas aventuras.

Dessa vez, porém, seu pai ficou *muito* chateado. O problema não era tanto a escapada no lago, mas, sim, o fato de ter incluído outros três rapazes da igreja. Após um confronto inicial sobre as más escolhas de Darrin e sua falta de arrependimento, os dois pararam de se falar. Darrin não pediu desculpas, o pai ficou irredutível e a mãe se viu pega no meio desse conflito.

Por fim, depois de três ou quatro dias, a mãe pegou Darrin entre a escola e o treino de beisebol e o mandou ir à igreja pedir desculpas ao pai. Caso contrário, deveria entregar as chaves de sua caminhonete. Depois de argumentar um pouco, ele disse:

— Tudo bem, eu vou. Mas não entendo por que devo pedir

desculpas. Amo o pai mais do que tudo. Você sabe disso. Eu nunca o ofenderia ou magoaria de propósito, então por que preciso me desculpar? Não teve nada a ver com ele. Foi algo entre mim e meus amigos. Ninguém se feriu e não causamos dano algum.

Ela apenas estendeu as mãos e disse:

— Vá pedir desculpas ou me entregue a chave. Talvez você não entenda agora a necessidade de se desculpar, mas um dia vai entender. Enxergue essa oportunidade como um teste para a vida.

Ao sair porta afora, ele disse:

— Não tenho muito tempo. Precisarei ser rápido.

Ela disparou de volta:

— Com você, se não é divertido, é sempre rápido, então não será surpresa alguma.

Anos mais tarde, quando Darrin já fazia faculdade em outra cidade, o telefone tocou às duas e meia da manhã. Sua mãe atendeu com o coração disparado. Era Darrin, pedindo que ela se levantasse e fosse até a cozinha, para estar acordada ao ouvir o que ele tinha a dizer.

— Darrin, como eu não estaria acordada? Tudo bem com você? Qual é o problema?

Ele respondeu:

— Mãe, preciso que você me ensine de novo sobre pedir desculpas. Não me lembro muito o que você disse quando papai e eu não estávamos nos falando depois daquela noite no lago. Preciso de ajuda! Tenho certeza de que, se eu não me desculpar agora, Traci vai terminar comigo. O que devo dizer? Como começo?

O que está acontecendo?

Com qual pessoa você se identifica mais facilmente — Darrin, o pai ou a mãe? Por quê?

Por que você acha que Darrin tinha dificuldade para entender como seus atos afetavam negativamente os outros?

Qual foi o motivo de Darrin para pedir desculpas ao pai? E a Traci?

Como o Eneagrama explica o que está acontecendo nesta situação?

Darrin é Sete no Eneagrama. Todos as pessoas tipo Sete são motivadas pela necessidade de ser felizes e evitar a dor. O Sete médio ou imaturo muitas vezes desconsidera a importância das emoções em si e nos outros. Enxerga o mundo como um parque de diversões. Seu pico de felicidade acontece quando está em movimento, aproveitando a vida e pulando de uma atividade para a próxima. Prefere não lidar com nada desagradável ou desconfortável.

Essa predileção pelo lado leve da vida deixa o Sete com apenas metade da gama das emoções, o que pode arruinar os relacionamentos. É importante avaliar seriamente esse desequilíbrio. Se o Sete não estiver disposto a reconhecer seu desconforto com sentimentos pesados ou tristes, isso pode lhe custar caro. Uma dinâmica interpessoal saudável é a pedra fundamental de todos os relacionamentos, por isso os objetivos e sentimentos dos outros não podem ser ignorados — algo que o Sete médio é propenso a fazer.

Essa indisposição ou incapacidade de lidar de forma apropriada com os sentimentos é problemática. Quando os outros não conseguem ser honestos com o Sete acerca do que sentem e necessitam, a demora das reações emocionais costuma ser expressa na forma de raiva, vergonha, medo ou quem sabe

O mundo do Sete

Em geral, as pessoas tipo Sete são encantadoras e cheias de energia. Às vezes, porém, valorizam em excesso o próprio charme. Evitam limitações — em especial as impostas pelos outros — e confrontos diretos. Usando o humor e distrações intencionais, conseguem se safar de problemas quase sem ser notadas. Quando o Sete faz algo por senso de dever, sua falta de entusiasmo é palpável. Está presente, mas reduz a energia empregada, na espera de algum acontecimento futuro mais promissor. Cada uma dessas características pode gerar problemas com os outros.

Mihee Kim-Kort, escritora e pastora presbiteriana, compartilhou parte de seu desafio de ser tipo Sete, casada com um Seis. "Ele necessita de rotina", explicou. "E isso me inclui. Consigo ver o quanto é útil para as crianças. Tento ser consistente, mas nunca dá certo. Eu os busco na escola e vamos para onde o clima nos levar, de acordo com o que estivermos sentindo. Às vezes, vamos direto para um parquinho ou para a biblioteca, mas tentamos ficar fora de casa o máximo possível."[1]

Então me contou sobre a culpa que sente por passar tanto tempo fora. "Talvez as crianças precisem ir para casa. Talvez necessitem de um lugar para descansar e se

> # 7
> Para o Sete, é um desafio reconhecer e assumir total responsabilidade por sua parte no conflito, sem culpar os outros.

recompor, apenas assistindo a um pouco de TV. Eu sinto que, para *minha* sanidade mental, *não posso ir direto para casa*. Ficar presa do lado de dentro, com muitos gritos, correrias e negociações, é difícil demais para mim".

Todas as pessoas tipo Sete que eu conheço têm um coração enorme. São generosas e dispostas a fazer sacrifícios em prol daqueles a quem amam. Mais que qualquer outro número, porém, creio que se sentem presas, pegas entre sua necessidade aparentemente infinita de estímulo e as necessidades dos outros. Se você escutar bem de perto, ouvirá vários Setes dizerem: "Faço *o que for preciso* para você ser feliz". E estão falando sério, mas não querem se perder nesse processo. Em geral, o Sete tem uma longa fila de pretendentes que se sentem rejeitados, pois levaram o relacionamento mais a sério que o Sete. É fácil entender incorretamente os limites que o Sete coloca nos relacionamentos.

> O Eneagrama nos ajuda a identificar nossos pontos cegos no que diz respeito a lidar com nossos sentimentos e com os sentimentos dos outros.

Um dos limites com os quais o Sete tem dificuldades diz respeito ao tempo. Há pouco tempo, ouvi uma pessoa tipo Sete dizer: "Eu gostaria que houvesse mais dois dias na semana. Só mais dois dias". Quem é Sete nunca parece ter tempo para fazer tudo aquilo que planejou ou quer realizar. E todos os projetos não concluídos servem como lembretes de que o tempo está acabando.

O Sete pensa e então faz, sem nem levar em conta os sentimentos. Precisa aprender a considerar os sentimentos dos outros e as consequências de seus comportamentos. E então precisa aprender o que fazer com esses sentimentos, tanto os próprios quanto os alheios.

Paixão pelo prazer. Na busca constante por prazer, o Sete fica ansioso para se encher de experiências positivas e estimulantes. Para explicar de maneira simples, ele quer mais de tudo que o agrada. Isso também é conhecido como glutonaria, a paixão do Sete. Embora glutonaria tenha uma conotação negativa, nesse caso ela se refere ao desejo constante por mais. Todos nós tentamos preencher vazios internos e o fazemos de formas diferentes. Ao falar sobre sua compreensão acerca da glutonaria, Shauna Niequist admite: "Acho que sinto mais intensamente meus apetites do que outras pessoas".

Shauna reconhece os efeitos que sua natureza de Sete tem sobre seus relacionamentos — tanto positivos quanto negativos:

> Algo que amo no Eneagrama é o reconhecimento de ser tipo Sete e a compreensão de que as melhores e piores partes de mim não são aleatórias, mas estão bem relacionadas umas às outras. Eu amo fazer um milhão de coisas diferentes. Amo que a vida tenha muita variedade. Mas sou terrível com a rotina. Quero que tudo pareça uma ocasião especial. E quero mais de tudo. *E* posso acabar me esgotando na tentativa de me divertir demais. As pessoas ao meu redor às vezes se desgastam com meu entusiasmo. Entender que essas coisas estão correlacionadas e fazem parte de um todo foi extremamente útil para mim.
>
> Em contrapartida, quando não me sinto bem ou se algo está acontecendo — se estou com pouca energia por qualquer motivo — as pessoas observam e dizem: "O que há de errado com ela?". Há um nível esperado de energia que as pessoas já acham que levarei para o ambiente. Tenho trabalhado essas questões ao longo dos últimos anos e compreendido que me apresentar inteira nem sempre significa expor, junto com a energia, minhas partes mais feridas.[2]

Quando sente frustração ou carência, o Sete intuitivamente começa a se movimentar, em busca de gratificação externa. Parte de sua jornada rumo à transformação envolve mudar esse padrão de comportamento e se voltar para dentro. Embora seja uma transição positiva para o Sete, é desconcertante para aqueles que aprenderam a depender de sua energia divertida.

Reformulação como estratégia de autoproteção. Embora muitos números temam se sentir abandonados e solitários, o Sete tem muito medo de se sentir preso e tragado pelas circunstâncias. Por isso, encontra uma rota de escape por meio da reformulação. Reformulam sentimentos de dor e fracasso de maneira intuitiva

> As outras pessoas não podem ser como você.

quase que imediatamente, atribuindo-lhes outro significado. Joel, nosso filho mais velho, jogava basquete no ensino médio e na faculdade. Ele tem 1,92 metro de altura e calça 48. Basta dizer que ele faz boas jogadas, mas não é rápido. Sabe pular, mas não alto demais. Certa noite, após uma partida eliminatória no ensino médio, Joel disse do banco de trás:

— Mãe, você conseguiu filmar aquela nossa enterrada incrível antes do meio tempo?

— Registrei a enterrada, mas como assim "nossa"?

— Você sabe, mãe, a *nossa*!

Relembrando que Joel estava no banco de reservas durante aquela enterrada incrível eu tive consciência, mais uma vez, da imaginação vívida do meu filho tipo Sete e de sua habilidade natural de reformular suas experiências. O Sete transforma sentimentos tristes em algo mais positivo de forma rápida e fácil. Com certa maturidade, é capaz de abrigar tristeza ou medo antes de reformular a experiência em algo que seja mais confortável. Mas, enquanto esse momento não chega, acaba reprimindo sentimentos tristes ou negativos. Tais sentimentos não desaparecem por completo. Na verdade, eles voltam à tona em momentos imprevisíveis no futuro.

A capacidade de reformular e renomear o que acontece permite que o Sete vá para um lugar mágico dentro da mente que funciona bem para ele desde a infância. Joel conta a experiência do dia em que se perdeu em um grande parque de diversões quando tinha cinco anos. "O policial que ficou esperando comigo na guarita me disse que tudo ficaria bem e eu acreditei nele. Por isso, fechei os olhos e usei meus outros sentidos para *imaginar* que estava indo nos brinquedos, tomando sorvete, rindo e brincando com minhas irmãs. Para falar a verdade, eu me diverti muito." Todo Sete que eu conheço tem a própria história acerca da primeira vez que conseguiu tirar o foco da tristeza ou do medo e colocá-lo em algo muito mais maravilhoso e seguro.

Todavia, reformular e mudar o foco são estratégias que podem levar a problemas significativos nos relacionamentos, já que os outros números não têm esse dom mágico. Quando algo na vida das pessoas de outros tipos as deixa tristes ou parece ameaçador, a resposta é diferente da reação do Sete. Frustradas, podem rotular a reformulação que o Sete faz do negativo em algo positivo como imatura, irresponsável e irreal. Em geral, diante de tais circunstâncias, o relacionamento começa a assumir a dinâmica de uma relação entre pai e filho. É desrespeitoso para ambos os lados, e a única solução é intencionalmente escolher um ponto de encontro no meio do caminho.

Atividade como cortina de fumaça.
O Sete evita a dor de todas as formas, sobretudo a dor de se ver preso à previsibilidade de uma rotina. A ideia de sentir uma dor física ou emocional que não possa ser administrada ou controlada é quase insuportável, e o Sete não sabe como fazer a vida funcionar no relacionamento com alguém que não consegue ou não quer ser feliz.

O Sete se une ao Cinco e ao Seis na tríade do medo no Eneagrama e seu maior temor é se ver amarrado a algo desagradável. Uma de suas estratégias para administrar esse temor é manter aberto seu leque de opções. Faz parte de sua compreensão de fartura. A ideia de uma vida cotidiana estável, segura e regrada o desagrada. Quer participar do máximo possível de atividades, inclusive das que não estão na agenda. Mas o prazer que sente nessas atividades com os outros é comprometido quando, no meio do processo, o Sete já começa a pensar no que virá a seguir.

Relacionamentos exigem compromisso — não só o compromisso

O SETE E OS OUTROS

Um: O Sete pode aprender ao observar a relação do Um com limites, autocontrole e finalização de tarefas. O Um pode se beneficiar da leveza e espontaneidade do Sete. É uma boa troca.

Dois: O Sete necessita de muito mais liberdade que o Dois. Nos relacionamentos, o Dois precisa confiar mais e o Sete necessita se esforçar para compartilhar seus planos: onde estará, o que fará e quando estará disponível.

Três: O Três e o Sete precisam ter consciência de uma diferença que pode ser confundida com semelhança. O Sete não gosta de limitar suas opções pessoais. O Três não gosta de limitar quantas horas por dia trabalha. É uma distinção complicada, que requer intencionalidade na comunicação.

Quatro: Quatro e Sete são mais parecidos do que costumamos pensar. Aliás, é muito difícil distingui-los na infância. Mas se apresentam como opostos na idade adulta por causa das respectivas preferências emocionais. O Quatro vê o copo meio vazio e o Sete o enxerga meio cheio. Se estiverem dispostos a respeitar suas diferenças enquanto tentam encontrar uma ponte entre elas, têm muito a oferecer um ao outro.

Cinco: Um dos motivos para o Sete e o Cinco conseguirem estabelecer uma conexão tão bem-sucedida é compartilharem uma linha no Eneagrama. Isso significa que conseguem se enxergar no outro. Ambos apreciam aventura e se entendiam facilmente com a repetição. É um bom espaço para compartilharem.

Seis: Ao olhar para o futuro, o Sete e o Seis costumam enxergar coisas diferentes. O Sete tende a imaginar as coisas melhores do que serão, ao passo que o Seis antecipa um amanhã pior do que provavelmente será. Ambos podem se beneficiar de uma perspectiva mais equilibrada quanto ao futuro.

Sete: O Sete teme compromisso, rotina e previsibilidade. Quando duas pessoas tipo Sete se relacionam, têm desafios com essas limitações.

Oito: O Sete pensa e depois faz. O Oito faz para depois pensar. É preciso tomar cuidado com essa dinâmica no relacionamento!

Nove: O Sete e o Nove oferecem um ao outro uma forma singular de equilíbrio, pois o Sete ama opções e o Nove acha paralisante ter opções demais.

de permanecer conectados e resolver as coisas, mas também com acordos menores e aparentemente menos importantes, como chegar a tempo, terminar o que começou e respeitar um plano, mesmo que outra oportunidade mais empolgante apareça. Quando o Sete se compromete (e precisa ser ideia dele), entra com tudo. O desafio é definir com os outros tipos de personalidade o que significa "com tudo". Pense um pouco. Para o Um e o Oito, "com tudo" significa permanecer envolvido do início ao fim. E para o Dois, "com tudo" inclui estar *por dentro* emocionalmente. Tais questões são distinções importantes nos relacionamentos. O Sete gosta de estar em um relacionamento com as pessoas que ama e fica desolado quando um relacionamento termina. Seria um equívoco pensar que os términos são fáceis para o Sete. A verdade é o oposto.

A necessidade de otimismo. A necessidade que o Sete sente de otimismo está diretamente ligada a seu desejo de acreditar que o mundo é seguro, as pessoas são boas e suas necessidades serão satisfeitas. Por isso, é difícil lembrar que o Sete faz parte da tríade do medo, uma vez que a maioria das pessoas tipo Sete que conhecemos não parece temer coisa alguma. Pelo contrário, elas parecem alegres, "pra cima" e divertidas. Jovens tipo Sete às vezes me dizem: "Como eu posso estar bem ao lado do Seis no Eneagrama? Não tenho nada em comum com o Seis!". Richard Rohr explica: "Surpreendentemente, o otimismo e o pessimismo não ficam longe um do outro. Ambos são mecanismos intelectuais para administrar o abismo e os perigos da vida".[3]

Certa mulher me contou pouco tempo atrás o que ela acredita que as pessoas tipo Sete podem oferecer a nosso mundo:

> Creio que vivemos em uma época na qual precisamos de um pouco de otimismo saudável. Necessitamos de alguns sonhadores — de pessoas que não tenham medo de sonhar grande. Serei a primeira a questionar ou criticar alguém que seja cego ou surdo a questões raciais ou de gênero. Ao mesmo tempo, porém, não quero que as pessoas sejam privadas de uma visão mais ampla para a comunidade, de estar juntas e da crença no que o amor faz quando recebe a oportunidade de florescer. Por mais que as pessoas pensem que estou sendo ingênua e superficial, prefiro me apegar à possibilidade de esperança e alegria.

Às vezes, perdemos a chance de receber o bem que o Sete tem a oferecer em nossas comunidades e nos relacionamentos porque falhamos em levá-los a sério. Seu otimismo é necessário.

Estresse e segurança

Quando o Sete está em sua melhor condição, é um embaixador da esperança. Seu jeito é leve, generoso, cuidadoso e criativo. Todos nos beneficiamos de ver o mundo sob seus olhos.

Em sua pior forma, porém, pode ser teimoso e de opinião forte. Assim como o Três e o Oito, o Sete precisa se lembrar de que, quando tem certeza absoluta de que está certo, provavelmente ele está errado.

Nos momentos em que a vida se torna pesada pelo estresse, todos os números exibem comportamentos excessivos associados a sua personalidade. Isso não é belo em nenhum de nós e, no Sete, assume a forma de atividades frenéticas com o potencial de minar seus verdadeiros desejos. Felizmente, o Sete estressado tem fácil acesso ao comportamento associado ao tipo Um. Com o lado maduro da influência perfeccionista, o Sete diminui o ritmo e passa a discernir melhor o que faz, com quem e quando. Torna-se menos egoísta e mais propenso a terminar o que começa. É um bom movimento e especialmente positivo para os relacionamentos. Uma das queixas comuns ao Sete é que ele não cumpre o que promete, então, quando isso acontece, proporciona cura. Outra reclamação é que não presta atenção aos detalhes, mas, no espaço do Um, isso acontece. E quando tem acesso ao comportamento do Um, o Sete encontra o equilíbrio necessário entre sonhar e fazer, pelo menos por um tempo.

Quando o Sete se sente mais seguro, pode usar a energia e o comportamento do Cinco como modelo para se afastar de tantos interesses e do excesso de atividades com muitas pessoas. Então é capaz de dedicar tempo a somente um ou dois relacionamentos ou de se concentrar em poucas coisas, em lugar de muitas. Quem é Sete me conta que é assim que vivencia satisfação máxima, porém só funciona por um tempo

7

Às vezes, o entusiasmo do Sete é mal interpretado como o desejo de impor a própria vontade.

limitado. Uma mulher tipo Sete me contou que, a menos que esteja influenciada pelo espaço do Cinco, não consegue encontrar espaço na agenda para tempo de qualidade com as pessoas significativas em sua vida.

A consciência das diferenças nos ajuda a limitar o que esperamos dos outros, e isso é muito bom. Os outros não enxergam a vida da mesma maneira que você. Ao ensinar em centros de recuperação, aprendi que expectativas são ressentimentos prestes a acontecer. É inteligente ter isso em mente ao construir e manter relacionamentos.

Limitações nos relacionamentos

As pessoas tipo Sete reprimem sentimentos, na tentativa de se manter sempre no lado feliz da vida. Por mais divertido que possa parecer, trata-se de uma limitação significativa ao se levar em conta que os outros oito números gerenciam a vida usando o espectro completo de emoções.

O charme do Sete é muito mais eficaz na esfera profissional do que na vida pessoal. Ele precisa aprender que, nos relacionamentos interdependentes, não é o CEO — a outra pessoa não precisa concordar com o que ele fala, nem fazer o que ele quer. E uma vez que a interdependência faz bem para todos, o Sete deve aprender a moderar seu ego, tanto em casa quanto no trabalho.

O Sete acredita que suas necessidades são simples e poucas, quando, na verdade, ele é uma pessoa complexa com necessidades complexas. Muitos indivíduos tipo Sete têm dificuldade de entender como as coisas podem estar ótimas em um instante do relacionamento e problemáticas no próximo. Não gostam quando a situação se torna emocionalmente confusa — e os relacionamentos são notoriamente confusos. Às vezes, o problema com o Sete é levá-lo a ver e admitir que há um problema. Então vem o desafio de lidar com ele. Por isso, o Sete precisa aprender a lidar com os problemas quando estes surgem, deixando de lado o desejo de que a situação se resolva sozinha. Reparar uma brecha significativa nos relacionamentos com aqueles a quem mais amamos requer uma maturidade persistente que o Sete precisa se esforçar para desenvolver.

O caminho juntos

No *podcast The Road Back to You*, Shauna Niequist, que ama receber pessoas em sua casa, respondeu a nossa pergunta sobre como o Eneagrama serviu de ferramenta em sua vida espiritual:

> O mais útil para mim ao aprender o aspecto espiritual do Eneagrama foi me dar permissão para, ao buscar espiritualidade, não fazer as coisas da mesma forma que as pessoas tipo Quatro em minha vida. Minha mãe e meu marido são tipo Quatro. Ambos são introvertidos. Pensam e sentem com profundidade. São contemplativos por natureza. Eu sou festeira por natureza. Para muitas pessoas, isso é bem menos espiritual. Mas eu diria que a primeira coisa foi me dar permissão para não ser uma mística no deserto e, em vez disso, oferecer meu maior dom, seja ele espiritual ou não, que é a hospitalidade.
>
> Creio que essa é uma das formas pelas quais Deus usa minha vida e sinto alegria imensa quando pratico a hospitalidade. Fico me sentindo extraordinariamente feliz. Se eu vender um tanto X de livros, penso: "Legal!", mas quando dou um jantar especialmente relevante, sinto: "Creio em Deus e ele é bom". Isso realmente significa algo para mim.[4]

Ao se recusar a encontrar realização em qualquer outro caminho além do próprio, o Sete é um modelo para nós de que é possível obter satisfação quando reconhecemos o valor inerente a nossa singularidade.

Esse tipo de singularidade precisa ser respeitado e celebrado.

RELACIONAMENTOS *para* o SETE

Depois de tudo que foi dito e feito...

O Sete luta mais que qualquer outro número para aceitar que há limite para o que ele pode ter. E é um desafio ainda maior aceitar que algumas coisas ele simplesmente não pode ter, não importa o quanto tente. Tem sido muito útil para as pessoas tipo Sete que conheço aprender e cultivar alguma prática contemplativa como a meditação ou a oração centrante. Além disso, a fim de deter pensamentos e planejamentos desenfreados, é útil para o Sete aprender a usar este mantra: *As coisas são o que são.*

Você pode...

- viver dentro da realidade de que o ponto de crescimento para você sempre estará onde a dor não pode ser reformulada, nem renomeada. Você pode aprender o que ela tem a lhe ensinar.
- sonhar novos sonhos, mas eles nem sempre se tornarão realidade.
- ter uma vida repleta de plenitude e alegria, mas você não a reconhecerá se não experimentar também a escassez e a dor.

Mas você não pode...

- administrar a vida somente com metade do espectro das emoções. E você é capaz de desenvolver a outra metade.
- ser responsável e confiável ao mesmo tempo que mantém o leque de opções aberto. Você pode transformar a confiabilidade em uma de suas opções.
- chegar aonde quer com comportamentos excessivos. Você é capaz de moderar seu jeito de ser no mundo.

Por isso, você precisa aceitar que...

- às vezes, a vida é tediosa e não há como reformular isso. É preciso apenas viver essa fase.
- os relacionamentos são tão valiosos para o crescimento pessoal quanto para o prazer.
- as pessoas podem presumir que você não se aprofunda, por se interessar por diversas coisas.
- seu comportamento com frequência é, ao mesmo tempo, alienante e charmoso.
- evitar a dor e sentimentos pessoais não funciona bem nos relacionamentos de longo prazo.

RELACIONAMENTOS *com* o SETE

Em minha experiência, percebo que, quando o Sete realmente começa a trabalhar em si, as pessoas ao redor se apressam em dizer: "O que aconteceu? Antes você era tão divertido!". Nós que amamos pessoas tipo Sete precisamos tomar o cuidado de não ter a expectativa de que elas demonstrem exatamente os comportamentos que lhes pedimos para moderar. Eis algumas outras dicas que ajudarão a desenvolver seu relacionamento:

- Não tente forçar o Sete a se comprometer com rotinas e agendas rígidas. Ele precisa de espontaneidade e flexibilidade.
- O Sete necessita que a outra pessoa no relacionamento tenha a própria energia e interesses pessoais. Não dependa do Sete para companheirismo constante.
- Quando for necessário fazer uma crítica, seja gentil e breve.
- Se você quer *compartilhar* seus sentimentos com o Sete, faça isso. Mas não *processe* seus sentimentos com o Sete. Será preciso fazer isso com outra pessoa.
- O Sete ama estar com pessoas e também valoriza muito um tempo a sós. Será útil se você contribuir para que ambas as coisas aconteçam.
- Não ajuda falar com o Sete sobre o potencial dele. O Sete não reage bem a expectativas, e qualquer tipo de conversa sobre potencial parece envolvida em expectativas.
- Um dos melhores presentes que você pode oferecer ao Sete é incentivá-lo a se permitir vivenciar o espectro total de emoções.
- A maioria dos adultos que não é Sete se esqueceu de como brincar. Convide um Sete para ensiná-lo sobre o dom de brincar.
- O Sete necessita de espaço para expressar livremente suas ideias. Se você optar por uma direção diferente, ele não vai se importar.
- Quando o Sete realmente quer algo que cabe a você dar, ele é bem persistente. É como ser bicado sem parar por um monte de galinhas.
- Preste atenção às histórias do Sete. As histórias costumam ser sua forma de expressar e compartilhar sentimentos.

Conclusão

Quando eu era pequena, meus pais tinham uma pequena biblioteca em um quarto na parte de cima da casa. Lá ficou meu irmão Carroll quando teve poliomielite e depois meu avô Brown, já em seu leito de morte. Nenhum dos dois conseguia sair da cama, então eu me entretinha servindo de bibliotecária, lendo para eles e os ouvindo ler para mim. Ambos estavam muito enfermos. Para ser honesta, sinto o desejo de escrever um livro que leve cura às pessoas desde que me entendo por gente.

Naqueles mesmos anos, eu sonhava com uma época em que me casaria, teria filhos e viveria feliz para sempre. A vida dificilmente é tão simples. Eu era uma mulher divorciada e mãe de três filhos quando Joe e eu nos casamos. Ele adotou as crianças e tivemos mais uma. Nós trabalhamos duro para descobrir como viver bem juntos, nos amar e manter um ao outro perdoado e livre.

Conhecemos o Eneagrama no início dos nossos trinta anos juntos e tem feito enorme diferença para nós e nossa família. Para ser franca, não consigo imaginar nossa vida sem esse conhecimento. Mas essa é apenas uma das muitas práticas que nos ajudam em nossa busca por entender quem somos e quem podemos ser quando somos amados, aceitos e nos sentimos seguros. Minha esperança é que você use o Eneagrama para oferecer amor, aceitação e segurança para as pessoas que habitam seus dias e sua vida.

Escrevi este livro para qualquer um que deseja se sair melhor nos relacionamentos com os outros — em casa, no trabalho, na igreja ou entre amigos. E busquei me expressar com clareza, sem ser simplista. Tenho certeza de que você entendeu — mesmo as partes de que não gostou.

Quero que esta obra faça a diferença. Mas isso não depende de mim. Depende de *todos* nós:

- proteger nossos relacionamentos da raiva, do medo e da vergonha;
- ser compassivos quando vemos outros com dificuldade para pensar produtivamente, agir intencionalmente e sentir profundamente;
- levar a sério o que os outros dizem acerca de como nos percebem dentro dos relacionamentos e então usar o que o Eneagrama ensina para fazer algo a respeito.

Quem sabe possamos fazer o acordo de que, nesses momentos, quando estivermos saudáveis e maduros o suficiente, faremos o que pudermos com aquilo que sabemos *para o bem de todos*.

Agradecimentos

Quando penso no Eneagrama, vejo que meus professores estão em todos os lugares: nas aulas que ministro e nas plateias que ouvem minhas palestras; no aeroporto quando viajo, em nossa igreja quando presto adoração, no supermercado quando vou fazer compras e no bairro quando volto para casa. São todas as pessoas que estão trilhando seu caminho no mundo, fazendo o melhor que sabem com o que têm e com sua forma de enxergar a vida. Tenho para com todas elas uma grande dívida de gratidão.

Acima de tudo, quero agradecer meu marido, Joe Stabile. Seu compromisso infindável para comigo e com nossa vida juntos é, ao mesmo tempo, respeitoso e desafiador, pois ele continua a insistir para que nos comprometamos com a obra para a qual fomos chamados. Nossos filhos, genros, noras e netos são minha motivação para querer fazer minha parte em transformar este mundo em um lugar melhor. Sou grata por todos eles. Obrigada, Joey, Billy, Sam, Jenny, Cory, Noah, Elle, Piper, Joel, Whitney, Joley, Jase, B. J. e Devon por tanto! Dizer sim para este livro significou dizer não para vocês com muito mais frequência do que eu gostaria.

Foi o padre Richard Rohr quem me convidou a estudar a antiga sabedoria do Eneagrama, então tudo que meus ensinos se tornaram remonta facilmente a ele.

Sou grata por minha amiga e agente literária Sheryl Fullerton. Ela é a melhor das melhores e não consigo imaginar este livro sem a influência dela em cada página.

Não há palavras para agradecer de maneira apropriada os homens e as mulheres que participaram do meu programa de aprendizes ao longo dos últimos nove anos. Eles me ensinaram muito do que sei ser verdade acerca do Eneagrama. Sou grata sobremaneira pelos milhares de pessoas que compartilharam seus finais de semanas e suas histórias comigo ao longo das últimas três décadas. É por causa delas que as informações que reuni sobre o Eneagrama se transformaram em sabedoria.

Agradeço de forma especial minha editora, Cindy Bunch. Ela me ajudou a encontrar meu caminho em um mundo relativamente novo. Este livro é melhor por causa de seu incentivo e de sua paciência infinita comigo. E a Jeff Crosby, meu respeito e minha gratidão sem fim. A equipe da editora IVP é formada por um grupo de homens e mulheres inteligentes, criativos e excelentes em tudo que fazem. Obrigada, Elissa Schauer, Ben McCoy, David Fassett, Dan van Loon, Rebecca Carhart, Andrew Bronson, Alisse Wissman, Krista Clayton, Justin Paul Lawrence, Marty Schoenleber e todos que trabalham lá — da recepção ao depósito. Que presente trabalhar com esses profissionais extraordinários que, além de tudo, são também seres humanos incríveis.

São muitas as pessoas que dedicam tempo e energia à obra do Life in the Trinity Ministry [Ministério Vida na Trindade]: Carolyn Teel, minha melhor amiga há 47 anos; Mike George, o melhor amigo de Joe há 52 anos e sua esposa, Patsy; Ann Leick, Cindy Short, B. C. e Karen Hosch, dr. John e Stephanie Burk, Tanya Dohoney, John Brimm, Tom Hoekstra, Jane Henry e Luci Neuman, que sonharam com um futuro para nosso ministério que mal poderíamos imaginar. Dra. Shirley Corbitt e Marge Buchanan, obrigada por serem testemunhas de toda minha vida adulta. Joel Stabile e Laura Addis, não consigo imaginar meu trabalho no mundo sem os dons e talentos de vocês. Dr. Bob Hughes, obrigada por insistir em me levar a crer que sou desejada.

Minha gratidão especial a Jim Chaffee e Jana Reiss. E também a Meredith Inman e Corey Pigg por tudo que fazem por mim.

Eu sou e tenho sido bem amada por muitas pessoas que me incentivam a viver plenamente e a fazer a parte que me corresponde no ensino do Eneagrama. A cada uma, minha mais profunda gratidão.

Gostaria de reconhecer e expressar gratidão por aqueles que abriram o caminho para mim no estudo do Eneagrama. Seus *insights* tornam essa sabedoria mais acessível a todos nós:

    Richard Rohr, Ordem dos Frades Menores
    Claudio Naranjo
    Renee Baron
    Elizabeth Wagele
    Andreas Ebert
    Don Riso
    Russ Hudson
    Helen Palmer
    David Daniels
    Virginia Price
    Beatrice Chestnut
    Kathleen Hurley
    Theodore Donson
    Thomas Condon
    Susan Reynolds
    Ian Cron
    Sandra Maitri
    Lynette Sheppard
    Suzanne Zuercher, Ordem de São Bento
    Clarence Thomson
    Margaret Keyes
    Roxanne Howe-Murphy

Notas

Tipo Oito: Vulnerabilidade não é fraqueza

[1] Brené Brown, "The Power of Vulnerability", TED Talk, <www.ted.com/talks/brene_brown_on_vulnerability>.

[2] Nadia Bolz-Weber, "Find Power in Vulnerability: An Interview with Pastor Nadia Bolz-Weber, Enneagram 8 (The Challenger)", podcast *The Road Back to You*, episódio 3, 17 de julho de 2016.

Tipo Nove: Arriscar o conflito em busca de conexão

[1] Andy Gullahorn, "The Enneagram in Marriage with Andy Gullahorn, Enneagram 9 (The Peacemaker), and Jill Phillips, Enneagram 6 (The Loyalist)", podcast *The Road Back to You*, episódio 29, 22 de março de 2017.

[2] Chris Gonzalez, "The Enneagram and Therapy — A Dialogue with Chris Gonzalez, Enneagram 9", podcast *The Road Back to You*, episódio 24, 18 de janeiro de 2017.

[3] Mike McHargue, "Learning to Express Confidences About the Things You Believe: An Interview with Science Mike, Enneagram 9", podcast *The Road Back to You*, episódio 5, 26 de julho de 2016.

[4] Gonzalez, "Enneagram and Therapy".

Tipo Um: As coisas sempre podem melhorar

[1] Christopher e Amanda Philips, "When Good Enough Is Never Good Enough: A Conversation with Christopher and Amanda Philips, Enneagram 1", podcast *The Road Back to You*, episódio 12, 21 de setembro de 2016.

Tipo Dois: Seus sentimentos ou os meus?

[1] Don Richard Riso e Russ Hudson, *The Wisdom of the Enneagram* (New York: Bantam Books, 1999). [No Brasil, *A sabedoria do Eneagrama*, 7ª ed. São Paulo: Cultrix, 2003.]

Tipo Três: Ser todo mundo, menos eu mesmo

[1] Richard Rohr e Andreas Ebert, *The Enneagram: A Christian Perspective* (New York: Crossroad, 2001), p. 85.

Tipo Quatro: Vá embora, mas não me deixe

[1] Bob Dylan, "Positively 4th Street", *Positively 4th Street*, Columbia, 1965.

Tipo Cinco: Minhas cercas têm portas

[1] Michael Gungor, "Finding Your Place in the World: An Interview with Michael Gungor — Enneagram 5 (The Investigator)", podcast *The Road Back to You*, episódio 7, 10 de agosto de 2016.

Tipo Seis: Questionar tudo

[1] Jill Phillips, "The Enneagram in Marriage with Andy Gullahorn, Enneagram 9 (The Peacemaker), and Jill Phillips, Enneagram 6 (The Loyalist)", podcast *The Road Back to You*, episódio 29, 22 de março de 2017.

Tipo Sete: Está tudo bem

[1] Mihee Kim-Kort, "Processing Pain Through Optimism — Insight to the Enneagram 7 (The Enthusiast) with Mihee Kim-Kort", podcast *The Road Back to You*, episódio 25, 25 de janeiro de 2017.

[2] Shauna Niequist, "Savor Everything: An Interview with Shauna Niequist — Enneagram 7 (The Enthusiast)", podcast *The Road Back to You*, episódio 6, 27 de julho de 2016.

[3] Richard Rohr e Andreas Ebert, *The Enneagram: A Christian Perspective* (New York: Crossroad, 2001).

[4] Niequist, "Savor Everything".

Compartilhe suas impressões de leitura,
mencionando o título da obra, pelo e-mail
opiniao-do-leitor@mundocristao.com.br
ou por nossas redes sociais

Esta obra foi composta com tipografia Palatino e Open Sans
e impresso em papel Pólen Soft 70 g/m² na gráfica Imprensa da Fé